L'ingénieux hidalgo don Quichotte de la Manche

D1112972

© 1981, l'école des loisirs, Paris
Titre original : « El ingenioso hidalgo don Quijote de la Mancha »
Loi n° 49.956 du 16 juillet 1949 sur les publications
destinées à la jeunesse : mars 1981
Dépôt légal : avril 2006
Imprimé en France par l'imprimerie Hérissey à Évreux (Eure)
N° d'imprimeur : 101733

Miguel de Cervantes Saavedra

L'ingénieux hidalgo don Quichotte de la Manche

Traduit de l'espagnol par Louis Viardot
Version abrégée par Guy Kellal
Illustrations par Tony Johannot

suivi d'un glossaire

Classiques abrégés
l'école des loisirs
11, rue de Sèvres, Paris 6e

T. W. JOHANNOT PINX.   PORRET SCUL.

Chapitre 1

Qui traite de la qualité et des occupations du fameux Hidalgo
don Quichotte de la Manche.

Dans une bourgade de la Manche, dont je ne veux pas
me rappeler le nom, vivait, il n'y a pas longtemps, un *hidalgo,* de ceux qui ont lance au râtelier, rondache antique, bidet maigre et lévrier de chasse.

Il avait chez lui une gouvernante qui passait les quarante ans, une nièce qui n'atteignait pas les vingt, et de plus un garçon de ville et de campagne. L'âge de notre hidalgo frisait la cinquantaine; il était de complexion robuste, maigre de corps, sec de visage, fort matineux et grand ami de la chasse. On a dit qu'il avait le surnom de Quixada ou Quesada, bien que les conjectures les plus vraisemblables fassent entendre qu'il s'appelait Quijana.

Or il faut savoir que cet hidalgo, dans les moments où il restait oisif, c'est-à-dire à peu près toute l'année, s'adonnait à lire des livres de chevalerie, avec tant de goût et de plaisir qu'il en oublia presque entièrement l'exercice de la chasse et l'administration de son bien. Sa curiosité et son extravagance arrivèrent à ce point qu'il vendit plusieurs arpents de bonnes terres à blé. Aussi amassa-t-il dans sa maison autant de livres de chevalerie qu'il put s'en procurer.

Notre hidalgo s'acharna tellement à sa lecture que ses nuits se passaient en lisant du soir au matin, et ses jours, du matin au soir. Son imagination se remplit de tout ce qu'il avait lu dans les livres, enchantements, querelles, défis, batailles, blessures, galanteries, amours, tempêtes et extravagances impossibles.

Finalement, ayant perdu l'esprit sans ressource, il vint

à donner dans la plus étrange pensée dont jamais fou se fût avisé dans le monde. Il lui parut convenable et nécessaire, aussi bien pour l'éclat de sa gloire que pour le service de son pays, de se faire chevalier errant, de s'en aller par le monde, avec son cheval et ses armes, chercher les aventures.

Il se hâta de mettre son désir en pratique. La première chose qu'il fit fut de nettoyer les pièces d'une armure qui avait appartenu à ses bisaïeux, les lava, les frotta, les raccomoda du mieux qu'il put.

Cela fait, il alla visiter sa monture. Il lui sembla que ni le Bucéphale d'Alexandre ni le Babiéca du Cid, ne lui étaient comparables. Quatre jours se passèrent à ruminer dans sa tête quel nom il lui donnerait.

A la fin il vint à l'appeler *Rossinante*, nom qui signifiait ce qu'il avait été et ce qu'il était devenu.

Ayant donné à son cheval un nom si à sa fantaisie, il voulut s'en donner un à lui-même; et cette pensée lui prit huit autres jours, au bout desquels il décida de s'appeler *don Quichotte*. Se rappelant alors que le valeureux Amadis ne s'était pas contenté de s'appeler Amadis tout court, mais Amadis de Gaule, il voulut s'appeler *don Quichotte de la Manche*.

Ayant donc nettoyé ses armes, donné un nom à son bidet et à lui-même la confirmation, il se persuada qu'il ne lui manquait plus rien, sinon de chercher une dame de qui tomber amoureux. Ce fut, à ce que l'on croit, une jeune paysanne de bonne mine, qui demeurait dans un village voisin du sien et dont il avait été quelque temps amoureux, bien que la belle n'en eût jamais rien su, et ne s'en fût pas souciée davantage. Elle s'appelait Aldonza Lorenzo. Il vint à l'appeler *Dulcinée du Toboso,* parce qu'elle était native de ce village.

Chapitre 2

Qui traite de la première sortie que fit de son pays l'ingénieux
don Quichotte.

Ayant donc achevé ses préparatifs, il ne voulut pas attendre davantage pour mettre à exécution son projet. Ainsi, sans mettre âme qui vive dans la confidence de son intention, et sans que personne le vît, un beau matin, avant le jour, qui était un des plus brûlants du mois de juillet, il s'arma de toutes pièces, monta Rossinante, embrassa son écu, saisit sa lance et, par la fausse porte d'une basse-cour, sortit dans la campagne. Mais à peine se vit-il en chemin qu'une pensée terrible l'assaillit : il n'était pas armé chevalier. Cela le fit hésiter dans son propos ; mais, sa folie l'emportant sur toute raison, il résolut de se faire armer chevalier par le premier qu'il rencontrerait.

Il marcha presque tout le jour sans qu'il lui arrivât rien qui fût digne d'être conté ; et il s'en désespérait. Au coucher du soleil son bidet et lui se trouvèrent harassés et morts de faim. Alors regardant de toutes parts pour voir s'il ne découvrirait pas quelque château, quelque hutte de bergers, où il pût chercher un gîte et un remède à son extrême besoin, il aperçut non loin du chemin où il marchait une hôtellerie. Il pressa le pas, si bien qu'il y arriva à la tombée de la nuit. Par hasard il y avait sur la porte deux jeunes filles, de celles-là qu'on appelle *de joie*. Il s'imagina que c'était un château. Il s'approcha de l'hôtellerie, et, à quelque distance, il retint la bride de Rossinante, attendant qu'un nain parût entre les créneaux pour donner avec son cor le signal qu'un chevalier arrivait au château.

En ce moment il arriva, par hasard, qu'un porcher qui rassemblait dans des chaumes un troupeau de cochons souffla dans une corne au son de laquelle ces animaux se réunissent. Aussitôt don Quichotte, transporté de joie, s'approcha de l'hôtellerie et des dames, lesquelles voyant venir un homme armé de la sorte, allaient, pleines d'effroi, rentrer dans la maison. Mais don Quichotte leur dit: «Que Vos Grâces ne prennent point la fuite, et ne craignent nulle discourtoise offense; car, dans l'ordre de chevalerie que je professe, il n'appartient ni ne convient d'en faire à personne et surtout à des damoiselles d'aussi haut parage.» Les filles le regardaient et cherchaient de tous leurs yeux son visage sous la mauvaise visière qui le couvrait. Mais quand elle s'entendirent appeler demoiselles, chose tellement hors de leur profession, elles ne purent s'empêcher d'éclater de rire, et ce fut de telle sorte que don Quichotte vint à se fâcher. Dans ce moment même parut l'hôtelier, gros homme que son embonpoint rendait pacifique; lequel voyant cette bizarre figure, accoutrée d'armes si dépareillées, fut tout près d'accompagner les demoiselles dans l'effusion de leur joie. Mais cependant, effrayé de ce fantôme armé en guerre, il se ravisa et résolut de lui parler poliment: «Si Votre Grâce, seigneur chevalier», lui dit-il, «vient chercher un gîte, sauf le lit, car il n'y en a pas un seul dans cette hôtellerie, tout le reste s'y trouvera en grande abondance.»

En disant cela, il fut tenir l'étrier à don Quichotte, lequel descendit de cheval avec beaucoup de peine et d'efforts, comme un homme qui n'avait pas rompu le jeûne de toute la journée.

Chapitre 3

Où l'on raconte de quelle gracieuse manière don Quichotte
se fit armer chevalier.

Don Quichotte dépêcha son maigre souper d'auberge; puis, dès qu'il l'eut achevé, il appela l'hôte, et, le menant dans l'écurie, dont il ferma la porte, il se mit à genoux devant lui en disant: «Jamais je ne me lèverai d'où je suis, valeureux chevalier, avant que votre courtoisie ne m'octroie un don que je veux lui demander, lequel tournera à votre gloire et au service du genre humain.»

Quand il vit son hôte à ses pieds, et qu'il entendit de semblables raisons, l'hôtelier le regarda tout surpris, sans savoir que faire ni que dire, et s'opiniâtra à le relever. Mais il ne put y parvenir, si ce n'est en lui disant qu'il lui octroyait le don demandé.

«Je n'attendais pas moins, seigneur, de votre grande magnificence», répondit don Quichotte, «ainsi, je vous le déclare, ce don que je vous demande, et que votre libéralité m'octroie, c'est que demain matin vous m'armiez che-

valier. Cette nuit, dans la chapelle de votre château, je passerai la veillée des armes, et demain s'accomplira ce que tant je désire, afin de pouvoir, comme il se doit, courir les quatre parties du monde, cherchant les aventures au profit des nécessiteux.»

L'hôtelier, qui était passablement matois, et qui avait déjà quelque soupçon du jugement fêlé de son hôte, acheva de s'en convaincre quand il lui entendit tenir de tels propos; mais pour s'apprêter de quoi rire cette nuit, il résolut de suivre son humeur, et lui répondit qu'il avait parfaitement raison d'avoir ce désir.

«Moi-même», ajouta-t-il, «dans les années de ma jeunesse, je me suis adonné à cet honorable exercice; j'ai parcouru diverses parties du monde, cherchant mes aventures. A la fin je suis venu me retirer dans ce mien château, où je vis de ma fortune et de celle d'autrui, y recevant tous les chevaliers errants de quelque condition et qualité qu'ils soient.»

L'hôtelier lui dit aussi qu'il n'y avait dans son château aucune chapelle où passer la veillée des armes, parce qu'on l'avait abattue pour en bâtir une neuve; mais qu'il savait qu'en cas de nécessité on pouvait passer cette veillée partout où bon semblait, et qu'il pourrait fort bien veiller cette nuit dans la cour du château; que le matin venu, s'il plaisait à Dieu, on ferait toutes les cérémonies voulues, de manière qu'il se trouvât armé chevalier.

Aussitôt tout fut mis en ordre pour qu'il fît la veillée des armes dans une grande basse-cour à côté de l'hôtellerie. Don Quichotte, ramassant toutes les siennes, les plaça sur une auge, à côté d'un puits; ensuite il embrassa son écu, saisit sa lance et, d'une contenance dégagée, se mit à passer et repasser devant l'abreuvoir. Quand il commença cette promenade, la nuit commençait à tomber. L'hôtelier avait conté à toux ceux qui se trouvaient dans l'hôtellerie la folie de son hôte, sa veillée des armes et la cérémonie qui devait se faire pour l'armer chevalier. Étonnés d'une si bizarre espèce de folie, ils allèrent le regarder de loin. Tantôt il se promenait d'un pas lent et mesuré; tantôt, appuyé sur sa lance, il tenait fixement les yeux sur ses armes et ne les en ôtait d'une heure entière. La nuit se ferma tout à fait.

Il prit fantaisie à l'un des muletiers qui s'étaient hébergés dans la maison d'aller donner de l'eau à ses bêtes, et pour cela il fallait enlever de dessus l'auge les armes de don Quichotte; lequel, voyant venir cet homme, lui dit à haute voix: «O toi, qui que tu sois, téméraire chevalier, prends garde à ce que tu fais, et ne touche point ces armes si tu ne veux laisser ta vie pour prix de ton audace.»

Le muletier n'eut cure de ces propos, et mal lui en prit, car don Quichotte, jetant sa rondache, leva sa lance à deux mains et en déchargea un si furieux coup sur la tête du muletier qu'il le renversa par terre en piteux état. Cela fait, il ramassa ses armes et se remit à marcher de long en large avec autant de calme qu'auparavant.

L'hôtelier cessa de trouver bonnes les plaisanteries de son hôte et, pour y mettre fin, il résolut de lui donner bien vite son malencontreux ordre de chevalerie, avant qu'un autre malheur arrivât. Le châtelin s'en alla quérir un livre où il tenait note de la paille et de l'orge qu'il donnait aux muletiers. Bientôt, accompagné d'un petit garçon et des deux demoiselles en question, il revint où l'attendait don Quichotte, auquel il ordonna de se mettre à genoux; puis, lisant dans son manuel comme s'il eût récité quelque dévote oraison, au milieu de sa lecture, il leva la main, et lui en donna un grand coup sur le chignon; ensuite, de sa propre épée, un autre coup sur l'épaule, toujours marmottant entre ses dents comme s'il eût dit des patenôtres. Cela fait, il commanda à l'une de ces dames de lui ceindre l'épée. L'autre lui chaussa l'éperon. Pour le voir au plus tôt hors de sa maison, l'hôtelier, sans lui demander son écot, le laissa partir à la grâce de Dieu.

Chapitre 4

L'aube du jour commençait à poindre quand don Quichotte sortit de l'hôtellerie si content, qu'il en faisait tressaillir jusqu'aux sangles de son cheval. Toutefois, venant à se rappeler les conseils de son hôte au sujet des provisions si nécessaires dont il devait être pourvu, il résolut de s'en retourner chez lui pour s'y accomoder de tout ce bagage, et encore d'un écuyer, comptant prendre à son service un paysan, son voisin, pauvre et chargé d'enfants, mais très propre à l'office d'écuyer dans la chevalerie errante. Cette résolution prise, il tourna Rossinante du côté de son village.

Don Quichotte n'avait pas fait encore grand trajet, quand il crut s'apercevoir que, de l'épaisseur d'un bois qui se trouvait à sa droite, s'échappaient des cris plaintifs comme d'une personne qui se plaignait.

Aussitôt, tournant bride, il dirigea Rossinante vers l'endroit d'où les cris lui semblaient partir. Il n'avait pas fait vingt pas dans le bois qu'il vit une jument attachée à un chêne et, à un autre chêne, également attaché un jeune garçon de quinze ans au plus, nu de la tête à la ceinture. C'était lui qui jetait ces cris plaintifs, et non sans cause vraiment, car un vigoureux paysan lui administrait une correction à grands coups d'une ceinture de cuir.

En apercevant cette scène, don Quichotte s'écria d'une voix courroucée: «Discourtois chevalier, il vous sied mal de vous attaquer à qui ne peut se défendre; montez sur votre cheval et prenez votre lance, et je vous ferai voir qu'il est d'un lâche de faire ce que vous faites à présent.»

Le paysan, voyant tout à coup fondre sur lui ce fantôme couvert d'armes qui lui brandissait sa lance sur le visage, se tint pour mort, et d'un ton patelin répondit: «Seigneur chevalier, ce garçon que vous me voyez châtier est un mien valet qui me sert à garder un troupeau de brebis dans ces environs; mais il est si négligent que chaque jour il en manque quelqu'une; et parce que je châtie sa paresse, ou peut-être sa friponnerie, il dit que c'est par vilenie, et pour ne pas lui payer les gages que je lui dois.»

«Payez-le sur le champ», répondit don Quichotte, «et sans réplique; sinon, je jure Dieu que je vous extermine et vous anéantis sur le coup. Qu'on le détache.»

Le paysan baissa la tête et, sans répondre mot, détacha son berger, auquel don Quichotte demanda combien lui devait son maître.

«Neuf mois», dit-il, «à sept réaux chaque.»

Don Quichotte fit le compte, et, trouvant que la somme montait à soixante-trois réaux, il dit au laboureur de les débourser sur-le-champ, s'il ne voulait mourir. Le vilain répondit, tout tremblant: «Le malheur est, seigneur chevalier, que je n'ai pas d'argent ici; mais qu'André s'en retourne à la maison avec moi, et je lui payerai son dû, un réal sur l'autre.»

«Que je m'en aille avec lui!» s'écria le jeune garçon, «ah bien oui, seigneur; Dieu me préserve d'y penser. S'il me tenait seul à seul il m'écorcherait vif comme un saint Barthélemy.»

«Non, non, il n'en fera rien», reprit don Quichotte. «Il suffit que je le lui ordonne pour qu'il me garde respect; et, pourvu qu'il me le jure par la loi de la chevalerie qu'il a reçue, je le laisse aller libre, et je réponds du payement.»

«Je jure par tous les ordres de chevalerie qui existent dans le monde de vous payer, comme je l'ai dit, un réal sur l'autre, et même avec les intérêts.»

«Des intérêts je vous fais grâce», reprit don Quichotte, «payez-le en bons deniers comptants, c'est tout ce que j'exige. Et prenez garde d'accomplir ce que vous venez de jurer; sinon, et par le même serment, je jure de revenir vous chercher et vous châtier; je saurai bien vous découvrir, fussiez-vous mieux caché qu'un lézard de muraille. Et si vous voulez savoir qui vous donne cet ordre, pour être plus sérieusement tenu de l'accomplir, sachez que je suis le valeureux don Quichotte de la Manche, le défaiseur de torts et le réparateur d'iniquités.»

Disant cela, il piqua des deux Rossinante et disparut en un instant.

Chapitre 5

Qui traite des nouvelles extravagances de don Quichotte.

Après avoir marché environ deux milles, don Quichotte découvrit une grande troupe de gens, que depuis l'on sut être des marchands de Tolède qui allaient acheter de la soie à Murcie. Ils étaient six, portant leurs parasols, avec quatre valets à cheval et trois garçons de mules à pied. A peine don Quichotte les aperçut-il que prenant l'air fier et la contenance assurée il s'affermit bien sur ses étriers, empoigna sa lance, se couvrit la poitrine de son écu et, campé au beau milieu du chemin, il attendit l'approche de ces chevaliers errants, puisqu'il les tenait et jugeait pour tels.

Dès qu'ils furent arrivés à la portée de voir et d'entendre, don Quichotte éleva la voix, et d'un ton arrogant leur cria : «Que tout le monde s'arrête, si tout le monde ne confesse qu'il n'y a dans le monde entier demoiselle plus belle que l'impératrice de la Manche, la sans pareille Dulcinée du Toboso.»

Les marchands s'arrêtèrent, au bruit de ces paroles, pour considérer l'étrange figure de celui qui les disait, et l'un d'eux, qui était quelque peu goguenard et savait fort discrètement railler, lui répondit : «Seigneur chevalier, nous ne connaissons pas cette belle dame dont vous parlez ; faites-nous la voir, et, si elle est d'une beauté aussi incomparable que vous nous le signifiez, de bon cœur et sans nulle crainte nous confesserons la vérité que votre bouche demande.»

«Si je vous la faisais voir», répliqua don Quichotte, «quel beau mérite auriez-vous à confesser une vérité si manifeste? L'important, c'est que, sans la voir, vous le confessiez. Sinon en garde et en bataille, gens orgueilleux et démesurés; je vous attends ici, et je vous défie.»

En disant cela, il se précipita, la lance baissée, contre celui qui avait porté la parole, avec tant d'ardeur et de furie que, si quelque bonne étoile n'eût fait trébucher et tomber Rossinante au milieu de la course, mal en aurait pris à l'audacieux marchand. Rossinante tomba donc et envoya rouler son maître à dix pas plus loin, lequel s'efforçait de se relever sans en pouvoir venir à bout, tant le chargeaient et l'embarrassaient la lance, l'écu, les éperons et le poids de sa vieille armure; et, au milieu des incroyables efforts qu'il faisait vainement pour se remettre sur pied, il ne cessait de dire: «Ne fuyez pas, poltrons, vils esclaves; ne fuyez pas. Prenez garde que ce n'est point par ma faute, mais par celle de mon cheval, que je suis étendu sur la terre.»

Un garçon muletier, de la suite des marchands, qui sans doute n'avait pas l'humeur fort endurante, ne put entendre proférer au pauvre chevalier tombé tant d'arrogances et de bravades, sans avoir envie de lui en donner la réponse sur les côtes. S'approchant de lui, il lui arracha sa lance, en fit trois ou quatre morceaux, et de l'un d'eux se mit à frapper si fort et si dru sur notre don Quichotte qu'en dépit de ses armes il le moulut comme plâtre. Ses maîtres avaient beau lui crier de ne pas tant frapper et de le laisser tranquille, le muletier avait pris goût au jeu, et ne voulut quitter la partie qu'après avoir ponté tout le reste de sa colère. Il ramassa les autres éclats de la lance, et acheva de les briser l'un après l'autre sur le corps du misérable abattu, lequel, tandis que cette grêle de coups

lui pleuvait sur les épaules, ne cessait d'ouvrir la bouche pour menacer le ciel et la terre, et les voleurs de grand chemin qui le traitaient ainsi. Enfin le muletier se fatigua, et les marchands continuèrent leur chemin, emportant de quoi conter pendant tout le voyage sur l'aventure du pauvre fou bâtonné.

Celui-ci, dès qu'il se vit seul, essaya de nouveau de se relever; mais s'il n'avait pu en venir à bout lorsqu'il était sain et bien portant, comment aurait-il mieux réussi étant moulu et presque anéanti? Et pourtant il faisait contre mauvaise fortune bon cœur, regardant sa disgrâce comme propre et commune aux chevaliers errants, et l'attribuant d'ailleurs tout entière à la faute de son cheval. Mais quant à se lever, ce n'était pas possible, tant il avait le corps meurtri et disloqué.

Chapitre 6

Où se continue le récit de la disgrâce de notre chevalier.

Voyant donc qu'en effet il ne pouvait remuer, don Quichotte prit le parti de recourir à son remède ordinaire, qui était de songer à quelque passage de ses livres; et sa folie lui remit aussitôt en mémoire l'aventure de Baudoin et du marquis de Mantoue, lorsque Charlot abandonna le premier, blessé dans la montagne. Celle-là donc lui sembla venir tout exprès pour sa situation; et, donnant les signes de la plus vive douleur, il commença à se rouler par terre et à dire, d'une voix affaiblie, justement ce que disait, disait-on, le chevalier blessé: «O ma dame, où es-tu, que mon mal te touche si peu? ou tu ne le sais pas, ou tu es fausse et déloyale.»

De la même manière, il continua de réciter le romance, et quand il fut aux vers qui disent: «O noble marquis de Mantoue, mon oncle et seigneur», le hasard fit passer par là un laboureur de son propre village, et demeurant tout près de sa maison, lequel venait de conduire une charge de blé au moulin. Voyant cet homme étendu, il s'approcha, et lui demanda qui il était, et quel mal il ressentait pour se plaindre si tristement. Don Quichotte crut sans doute que c'était son oncle le marquis de Mantoue; aussi ne lui répondit-il pas autre chose que de continuer son romance.

Le laboureur écoutait tout surpris ces sottises, et lui ayant ôté la visière, que les coups de bâton avaient mise en pièces, il lui essuya le visage, qu'il avait plein de poussière; et dès qu'il l'eut un peu débarbouillé, il le reconnut.

«Eh, bon Dieu!» s'écria-t-il, «seigneur Quijada, qui vous a mis en cet état?» Mais l'autre continuait son romance à toutes les questions qui lui étaient faites.

Le pauvre homme, voyant cela, lui ôta le mieux qu'il put le corselet et l'épaulière, pour voir s'il n'avait pas quelque blessure; mais il n'aperçut pas trace de sang. Alors il essaya de le lever de terre, et, non sans grande peine, il le hissa sur son âne, qui lui semblait une plus douce monture. Ensuite, il ramassa les armes, jusqu'aux éclats de la lance, et les mit en paquet sur Rossinante. Puis, prenant celui-ci par la bride et l'âne par le licou, il s'achemina du côté de son village, tout préoccupé des mille extravagances que débitait don Quichotte. Ils arrivèrent au pays à la chute du jour. Mais le laboureur attendit que la nuit fût close, pour qu'on ne vît pas le disloqué gentilhomme dans ce piteux état.

Chapitre 7

Qui traite de l'émoi des amis de don Quichotte.

L'heure venue, il entra au village et gagna la maison de don Quichotte, qu'il trouva pleine de trouble et de confusion. Le curé et le barbier du lieu, tous deux grands amis de don Quichotte, s'y étaient réunis, et la gouvernante leur disait, en se lamentant : « Que vous en semble, seigneur licencié Pedro Perez (ainsi s'appelait le curé), et que pensez-vous de la disgrâce de mon seigneur ? Voilà six jours qu'il ne paraît plus, ni lui, ni le bidet, ni la rondache, ni la lance, ni les armes. Ah ! malheureuse que je suis ! je gagerais ma tête, et c'est aussi vrai que je suis née pour mourir, que ces maudits livres de chevalerie, qu'il a ramassés et qu'il lit du matin au soir, lui ont tourné l'esprit. Je me souviens maintenant de lui avoir entendu dire bien des fois, se parlant à lui-même, qu'il voulait se faire chevalier errant et s'en aller par le monde chercher les aventures. Que Satan et Barabbas emportent tous ces livres, qui ont ainsi gâté le plus délicat entendement qui fût dans toute la Manche ! »

La nièce, de son côté, disait la même chose, et plus encore : « Sachez, seigneur maître Nicolas, car c'était le nom du barbier, qu'il est souvent arrivé à mon seigneur oncle de passer à lire dans ces abominables livres de malheur deux jours avec leurs nuits, au bout desquels il jetait le livre tout à coup, empoignait son épée et se mettait à escrimer contre les murailles. Et quand il était rendu de fatigue, il disait qu'il avait tué quatre géants grands comme quatre tours, et la sueur qui lui coulait de lassitude, il disait que c'était le sang des blessures qu'il avait reçues dans la bataille. Puis ensuite il buvait un grand pot d'eau froide, et il se trouvait guéri et reposé, disant que cette eau était un précieux breuvage que lui avait apporté le sage Esquife, un grand enchanteur, son ami. Mais c'est à moi

qu'en est toute la faute; à moi, qui ne vous ai pas avisé des extravagances de mon seigneur oncle, pour que vous y portiez remède avant que le mal arrivât jusqu'où il est arrivé, pour que vous brûliez tous ces excommuniés de livres; il y en a beaucoup qui méritent bien d'être grillés comme autant d'hérétiques.»

«Ma foi, j'en dis autant», reprit le curé, «et le jour de demain ne se passera pas sans qu'on en fasse un *auto-da-*

fé et qu'ils soient condamnés au feu, pour qu'ils ne donnent plus envie à ceux qui les liraient de faire ce qu'a fait mon pauvre ami.»

Tous ces propos, don Quichotte et le laboureur les entendaient hors de la porte, si bien que celui-ci acheva de connaître la maladie de son voisin. Et il se mit à crier à tue-tête: «Ouvrez, s'il vous plaît, au seigneur Baudouin, et au seigneur marquis de Mantoue, qui vient grièvement blessé.»

Ils sortirent tous à ces cris et, reconnaissant aussitôt, les uns leur ami, les autres leur oncle et leur maître, qui n'était pas encore descendu de l'âne, faute de le pouvoir, ils coururent à l'envi l'embrasser. Mais il leur dit: «Arrêtez-vous tous. Je viens grièvement blessé par la faute de mon cheval; qu'on me porte à mon lit, et qu'on appelle, si c'est possible, la sage Urgande, pour qu'elle vienne panser mes blessures.»

«Hein!» s'écria aussitôt la gouvernante, «qu'est-ce que j'ai dit? est-ce que le cœur ne me disait pas bien de quel pied boitait mon maître?» C'était donner au curé plus de désir encore de faire ce qu'en effet il fit le lendemain, aidé du barbier, à savoir: brûler la bibliothèque de don Quichotte.

Chapitre 8

De la raison de la disparition du cabinet de don Quichotte.

Un des remèdes qu'imaginèrent pour le moment le curé et le barbier contre la maladie de leur ami, ce fut qu'on murât la porte du cabinet des livres, afin qu'il ne les trouvât plus quand il se lèverait, et qu'on lui dît qu'un enchan-

teur les avait emportés, le cabinet et tout ce qu'il y avait
dedans; ce qui fut exécuté avec beaucoup de diligence.

Deux jours après, don Quichotte se leva, et la première
chose qu'il fit fut d'aller voir ses livres. Mais ne trouvant
plus le cabinet où il l'avait laissé, il s'en allait le cherchant
à droite et à gauche, revenait sans cesse où il avait coutume de rencontrer la porte, en tâtait la place avec les

mains, et, sans mot dire, tournait et retournait les yeux de tous côtés. Enfin, au bout d'un long espace de temps, il demanda à la gouvernante où se trouvait le cabinet des livres.

La gouvernante, qui était bien stylée sur ce qu'elle devait répondre, lui dit : « Quel cabinet cherche Votre Grâce ? Il n'y a plus de cabinet ni de livres dans cette maison, car le diable lui-même a tout emporté. »

« Ce n'était pas le diable », reprit la nièce, « mais bien un enchanteur qui est venu sur une nuée, la nuit après que Votre Grâce est partie d'ici, et, mettant pied à terre d'un serpent sur lequel il était à cheval, il entra dans le cabinet, et je ne sais ce qu'il y fit, mais au bout d'un instant il sortit en s'envolant par la toiture et laissa la maison toute pleine de fumée ; et quand nous voulûmes voir ce qu'il laissait de fait, nous ne vîmes plus ni livres ni chambre. Seulement, nous nous souvenons bien, la gouvernante et moi, qu'au moment de s'envoler, ce méchant vieillard nous cria d'en haut que c'était par une secrète inimitié qu'il portait au maître des livres et du cabinet qu'il faisait dans cette maison le dégât qu'on verrait ensuite. Il ajouta qu'il s'appelait le sage Mugnaton. »

« Freston, il a dû dire », reprit don Quichotte.

« Je ne sais », répliqua la gouvernante, « s'il s'appelait Freston ou Friton, mais, en tout cas, c'est en *ton* que finit son nom. »

« En effet », continua don Quichotte, « c'est un savant enchanteur, mon ennemi mortel, qui m'en veut parce qu'il sait, au moyen de son art et de son grimoire, que je dois, dans la suite des temps, me rencontrer en combat singulier avec un chevalier qu'il favorise, et que je dois aussi le vaincre, sans que sa science puisse en empêcher :

c'est pour cela qu'il s'efforce de me causer tous les déplaisirs qu'il peut; mais je l'informe, moi, qu'il ne pourra ni contredire ni éviter ce qu'a ordonné le ciel.»

«Qui peut en douter?» dit la nièce. «Mais, mon seigneur oncle, pourquoi vous mêlez-vous à toutes ces querelles? Ne vaudrait-il pas mieux rester pacifiquement dans sa maison que d'aller par le monde chercher du meilleur pain que celui de froment, sans considérer que bien des gens vont quérir de la laine qui reviennent tondus?»

«O ma nièce!» répondit don Quichotte, «que vous êtes peu au courant des choses! avant qu'on me tonde, moi, j'aurai rasé et arraché la barbe à tous ceux qui s'imagineraient me toucher à la pointe d'un seul cheveu.»

Toutes deux se turent, ne voulant pas répliquer davantage, car elles virent que la colère lui montait à la tête.

Chapitre 9

De la seconde sortie de notre bon chevalier don Quichotte de la Manche.

Il resta quinze jours dans sa maison, très calme et sans donner le moindre indice qu'il voulût recommencer ces premières escapades; pendant lequel temps il eut de fort gracieux entretiens avec ses deux compères, le curé et le barbier, sur ce qu'il prétendait que la chose dont le monde avait le plus besoin c'était de chevaliers errants, et qu'il fallait y ressusciter la chevalerie errante. Quelquefois le curé le contredisait, quelquefois lui cédait aussi; car à moins d'employer cet artifice, il eût été impossible d'en avoir raison.

Dans ce temps-là, don Quichotte sollicita secrètement un paysan, son voisin, homme de bien (si toutefois on peut donner ce titre à celui qui est pauvre), mais, comme on dit, de peu de plomb dans la cervelle. Finalement il lui conta, lui persuada et lui promit tant de choses que le pauvre homme se décida à partir avec lui et à lui servir d'écuyer. Entre autres choses, don Quichotte lui disait qu'il se disposât à le suivre de bonne volonté, parce qu'il pourrait lui arriver telle aventure qu'en un tour de main il gagnât quelque île, dont il le ferait gouverneur sa vie durant. Séduit par ces promesses et d'autres semblables, Sancho Panza (c'était le nom du paysan) planta là sa femme et ses enfants et s'enrôla pour écuyer de son voisin.

Don Quichotte se mit aussitôt en mesure de chercher de l'argent, et, vendant une chose, engageant l'autre, et gaspillant toutes ses affaires, il ramassa une raisonnable somme. Il se pourvut aussi d'une rondache de fer qu'il emprunta d'un de ses amis, et avisa son écuyer Sancho du jour et de l'heure où il pensait se mettre en route, pour que celui-ci se munît également de ce qu'il jugerait le plus nécessaire. Surtout, il lui recommanda d'emporter un bissac. L'autre promit qu'il n'y manquerait pas et ajouta qu'il pensait aussi emmener un très bon âne qu'il avait, parce qu'il ne se sentait pas fort habile sur l'exercice de la marche à pied.

Tout cela fait et accompli, et, ne prenant congé, ni Panza de sa femme et de ses enfants, ni don Quichotte de sa gouvernante et de sa nièce, un beau soir ils sortirent du pays sans être vus de personne, et ils cheminèrent si bien toute la nuit qu'au point du jour ils se tinrent pour certains de n'être plus attrapés, quand même on se mettrait à leurs trousses.

Chapitre 10

Du gracieux entretien qu'eurent don Quichotte et Sancho Panza,
son écuyer.

Sancho Panza s'en allait sur son âne, comme un patriarche, avec son bissac, son outre et, de plus, une grande envie de se voir déjà gouverneur de l'île que son maître lui avait promise. Don Quichotte prit justement la même direction et le même chemin qu'à sa première sortie, c'est-à-dire à travers la plaine de Montiel. Sancho Panza dit alors à son maître: «Que Votre Grâce fasse bien attention, seigneur chevalier errant, de ne point oublier ce que vous m'avez promis au sujet d'une île, car, si grande qu'elle soit, je saurai bien la gouverner.» A quoi répondit don Quichotte: « Il faut que tu saches, ami Sancho Panza, que ce fut un usage très suivi par les anciens chevaliers errants de faire leurs écuyers gouverneurs des îles ou royaumes qu'ils gagnaient, et je suis bien décidé à ce que si louable coutume ne se perde point par ma faute. Je pense au contraire y surpasser tous les autres; car maintes fois ces chevaliers attendaient que leurs écuyers fussent vieux; c'est quand ceux-ci étaient rassasiés de servir et las de passer de mauvais jours et de plus mauvaises nuits qu'on leur donnait quelque titre de comte ou de marquis; mais si nous vivons, toi et moi, il peut bien se faire qu'avant six jours je gagne un royaume fait de telle sorte qu'il en dépende quelques autres, ce qui viendrait tout à point pour te couronner roi d'un de ceux-ci. Et que cela ne t'étonne pas, car il arrive à ces chevaliers des aventures si étranges, d'une façon si peu vue et si peu prévue que je pourrais facilement te donner encore plus que je ne te promets.»

«A ce train-là», répondit Sancho Panza, «si, par un de ces miracles que raconte Votre Grâce, j'allais devenir roi, Juana Gutierrez, ma ménagère, ne deviendrait rien moins que reine, et mes enfants infants,»

«Qui en doute?» répondit don Quichotte.

«Moi, j'en doute», répliqua Sancho; «car j'imagine que, quand même Dieu ferait pleuvoir des royaumes sur la terre, aucun ne s'ajusterait bien à la tête de Marie Gutierrez. Sachez, Seigneur, qu'elle ne vaut pas deux deniers pour être reine. Comtesse lui irait mieux; encore serait-ce avec l'aide de Dieu.»

« Eh bien ! laisses-en le soin à Dieu, Sancho », répondit don Quichotte, « il lui donnera ce qui sera le plus à sa convenance, et ne te rapetisse pas l'esprit au point de venir à te contenter d'être moins que gouverneur de province. »

« Non, vraiment, mon seigneur », répondit Sancho, « surtout ayant en Votre Grâce un si bon et si puissant maître, qui saura me donner ce qui me convient le mieux, et ce que mes épaules pourront porter. »

Chapitre 11

Du beau succès qu'eut le valeureux don Quichotte dans l'épouvantable et inimaginable aventure des moulins à vent.

En ce moment ils découvrirent trente ou quarante moulins à vent qu'il y a dans cette plaine, et, dès que don Quichotte les vit, il dit à son écuyer : « La fortune conduit nos affaires mieux que ne pourrait y réussir notre désir même. Regarde, ami Sancho ; voilà devant nous au moins trente démesurés géants, auxquels je pense livrer bataille et ôter la vie à tous tant qu'ils sont. Avec leurs dépouilles, nous commencerons à nous enrichir ; car c'est prise de bonne guerre, et c'est grandement servir Dieu que de faire disparaître si mauvaise engeance de la face de la terre. »

« Quels géants ? » demanda Sancho Panza.

« Ceux que tu vois là-bas », lui répondit son maître, « avec leurs grands bras, car il y en a qui les ont de presque deux lieues de long. »

« Prenez donc garde », répliqua Sancho, « ce que nous voyons là-bas ne sont pas des géants, mais des moulins à vent, et ce qui paraît leurs bras, ce sont leurs ailes, qui, tournées par le vent, font tourner à leur tour la meule du moulin.»

«On voit bien», répondit don Quichotte, «que tu n'es pas expert en fait d'aventures : ce sont des géants te dis-je ; si tu as peur, ôte-toi de là et va te mettre en oraison pendant que je leur livrerai une inégale et terrible bataille.»

«En parlant ainsi, il donna de l'éperon à son cheval Rossinante, sans prendre garde aux avis de son écuyer Sancho, qui lui criait qu'à coup sûr c'étaient des moulins à vent et non des géants qu'il allait attaquer. Pour lui, il s'était si bien mis dans la tête que c'étaient des géants que non seulement il n'entendait point les cris de son écuyer Sancho, mais qu'il ne parvenait pas, même en approchant tout près, à reconnaître la vérité.

Au contraire, et tout en courant, il disait à grands cris : «Ne fuyez pas, lâches et viles créatures, c'est un seul chevalier qui vous attaque.»

Un peu de vent s'étant alors levé, les grandes ailes commencèrent à se mouvoir ; ce que voyant don Quichotte, il s'écria : «Quand même vous remueriez plus de bras que le géant Briarée, vous allez me le payer.»

En disant ces mots, il se recommanda du profond de son cœur à la dame Dulcinée, la priant de le secourir en un tel péril ; puis, bien couvert de son écu, et la lance en arrêt, il se précipita au plus grand galop de Rossinante, contre le premier moulin qui se trouvait devant lui ; mais, au moment où il perçait l'aile d'un grand coup de lance, le vent la chassa avec tant de furie qu'elle mit la lance en pièces et qu'elle emporta après elle le cheval et le chevalier, qui s'en alla rouler sur la poussière en fort mauvais état.

Sancho Panza accourut à son secours de tout le trot de

son âne et trouva, en arrivant près de lui, qu'il ne pouvait plus remuer, tant le coup et la chute avaient été rudes.

«Miséricorde!» s'écria Sancho, «n'avais-je pas bien dit à Votre Grâce qu'elle prît garde à ce qu'elle faisait, que ce n'était pas autre chose que des moulins à vent?»

«Paix, paix! ami Sancho», répondit don Quichotte, «les choses de la guerre sont plus que toute autre sujettes à des chances continuelles; d'autant plus que je pense, que ce sage Friston, qui m'a volé les livres et le cabinet, a changé ces géants en moulins, pour m'enlever la gloire de les vaincre: tant est grande l'inimitié qu'il me porte! Mais en fin de compte son art maudit ne prévaudra pas contre la bonté de mon épée.»

«Dieu le veuille, comme il le peut», répondit Sancho Panza; et il aida son maître à remonter sur Rossinante, qui avait les épaules à demi déboîtées.

En conversant sur l'aventure, ils suivirent le chemin du Port-Lapice, parce que, disait don Quichotte, comme c'est un lieu de grand passage, on ne pouvait manquer d'y rencontrer toutes sortes d'aventures.

Chapitre 12

Qui traite de la nouvelle folie de don Quichotte.

Ils découvrirent deux moines de l'ordre de Saint-Benoît, à cheval sur deux dromadaires, car les mules qu'ils montaient en avaient la taille, et portant leurs lunettes de voyage et leurs parasols. Derrière eux venait un carrosse entouré de quatre ou cinq hommes à cheval et suivi de deux garçons de mules à pied. Dans ce carrosse était, comme on le sut depuis, une dame de Biscaye qui allait à Séville, où se trouvait son mari prêt à passer aux Indes avec un emploi considérable. Les moines ne venaient pas avec elle, mais suivaient le même chemin. A peine don Quichotte les eut-il aperçus qu'il dit à son écuyer: «Ou je suis bien trompé ou nous tenons la plus fameuse aventure qui se soit jamais vue. Car ces masses noires qui se montrent là-bas doivent être, et sont sans nul doute, des enchanteurs qui emmènent dans ce carrosse quelque princesse qu'ils ont enlevée; il faut que je défasse ce tort à tout risque et de toute ma puissance.»

«Ceci», répondit Sancho, «m'a l'air d'être pire que les moulins à vent. Prenez garde, seigneur; ce sont là des moines de Saint-Benoît, et le carrosse doit être à des gens qui voyagent. Prenez garde, je le répète, à ce que vous allez faire, et que le diable ne vous tente pas.»

«Je t'ai déjà dit, Sancho», répliqua don Quichotte, «que tu ne sais pas grand-chose en matières d'aventures. Ce que je te dis est la vérité, et tu le verras dans un instant.»

Tout en disant cela, il partit en avant et fut se placer au milieu du chemin par où venaient les moines; et dès que ceux-ci furent arrivés assez près pour qu'il crût pouvoir se faire entendre d'eux, il leur cria de toute sa voix: «Gens de l'autre monde, gens diaboliques, mettez sur-le-champ en liberté les hautes princesses que vous enlevez et gardez violemment dans ce carrosse; sinon préparez-vous à recevoir prompte mort pour juste châtiment de vos mauvaises œuvres.»

Les moines retinrent la bride et s'arrêtèrent, aussi émerveillés de la figure de don Quichotte que de ses propos, auxquels ils répondirent: «Seigneur chevalier, nous ne sommes ni diaboliques ni de l'autre monde, mais bien deux religieux de Saint-Benoît, qui suivons notre chemin, et nous ne savons si ce carrosse renferme ou non des princesses enlevées.»

«Je ne me paye point de belles paroles», reprit don Quichotte, «et je vous connais déjà, déloyale canaille.»

Puis, sans attendre d'autre réponse, il piqua Rossinante et se précipita, la lance basse, contre le premier moine, avec tant de furie et d'intrépidité que, si le bon père ne se fût laissé tomber de sa mule, il l'aurait envoyé malgré lui par terre, ou grièvement blessé, ou mort peut-être. Le second religieux, voyant traiter ainsi son compagnon, prit ses jambes au cou de sa bonne mule et enfila la venelle, aussi léger que le vent. Sancho Panza, qui vit l'autre moine par terre, sauta légèrement de sa monture et, se jetant sur lui, se mit à lui ôter son froc et son capuce. Alors, deux valets qu'avaient les moines accoururent et lui demandèrent pourquoi il déshabillait leur maître. Sancho leur répondit que ses habits lui appartenaient légitimement, comme dépouilles de la bataille qu'avait gagnée son seigneur don Quichotte. Les valets, qui n'entendaient pas raillerie et ne comprenaient rien à ces histoires de dépouilles et de bataille, voyant que don Quichotte s'était éloigné pour aller parler aux gens du carrosse, tombèrent sur Sancho, le jetèrent à la renverse et, sans lui laisser poil de barbe au menton, le rouèrent si bien de coups qu'ils le laissèrent étendu par terre, sans haleine et sans connaissance.

Chapitre 13

De la bataille que se livrèrent le gaillard Biscayen et le vaillant Manchois.

Don Quichotte avait été parler à la dame du carrosse, et il lui disait : «Votre Beauté, madame, peut désormais faire de sa personne tout ce qui sera le plus de son goût; car la superbe de vos ravisseurs gît maintenant à terre, abattue par ce bras redoutable. Afin que vous ne soyez pas en peine du nom de votre libérateur, sachez que je m'appelle don Quichotte de la Manche, chevalier errant, et captif de la belle sans pareille doña Dulcinée du Toboso. Et, pour prix du bienfait que vous avez reçu de moi, je ne vous demande qu'une chose : c'est de retourner au Toboso, de vous présenter de ma part devant cette dame et de lui raconter ce que j'ai fait pour votre liberté.»

Tout ce que disait don Quichotte était entendu par un des écuyers qui accompagnaient la voiture, lequel était Biscayen; et celui-ci, voyant qu'il ne voulait pas laisser partir la voiture, mais qu'il prétendait, au contraire, la faire retourner au Toboso, s'approcha de don Quichotte, empoigna sa lance et, dans une langue qui n'était pas plus du castillan que du biscayen, lui parla de la sorte : «Va, chevalier, que mal ailles-tu; par le Dieu qui me créa, si le carrosse ne laisses, aussi bien mort tu es que Biscayen suis-je.»

Don Quichotte le comprit très bien et lui répondit avec un merveilleux sang-froid : «Si tu étais chevalier, aussi bien que tu ne l'es pas, chétive créature, j'aurais déjà châtié ton audace et ton insolence.»

A quoi le Biscayen répliqua : «Pas chevalier, moi! je jure à Dieu, tant tu as menti comme chrétien. Si lance jettes et épée tires, à l'eau tu verras comme ton chat vite s'en va. »

«C'est ce que nous allons voir», répondit don Quichotte; et, jetant sa lance à terre, il tira son épée, embrassa son écu et s'élança avec fureur sur le Biscayen, résolu à lui ôter la vie.

Le Biscayen, qui le vit ainsi venir, aurait bien désiré sauter en bas de sa mule, mauvaise bête de louage sur laquelle on ne pouvait compter; mais il n'eut que le temps de tirer son épée, et bien lui prit de se trouver près du carrosse, d'où il saisit un coussin pour s'en faire un bouclier. Aussitôt ils se jetèrent l'un sur l'autre, comme s'ils eussent été de mortels ennemis. Les assistants auraient voulu mettre le holà; mais ils ne purent en venir à bout, parce que le Biscayen jurait en son mauvais jargon que, si on ne lui laissait achever la bataille, il tuerait lui-même sa maîtresse et tous ceux qui s'y opposeraient. La dame du carrosse, surprise et effrayée de ce qu'elle voyait, fit signe au cocher de se détourner un peu et, de quelque distance, se mit à regarder la formidable rencontre.

En s'abordant, le Biscayen déchargea un si vigoureux coup de taille sur l'épaule de don Quichotte que, si l'épée n'eût rencontré la rondache, elle ouvrait en deux notre chevalier jusqu'à la ceinture. Don Quichotte, qui ressentit la pesanteur de ce coup prodigieux, jeta un grand cri, en disant: «O dame de mon âme, Dulcinée, fleur de beauté, secourez votre chevalier, qui, pour satisfaire la bonté de votre cœur, se trouve en cette dure extrémité.»

Dire ces mots, serrer son épée, se couvrir de son écu et assaillir le Biscayen, tout cela fut l'affaire d'un moment; il s'élança, déterminé à tout aventurer à la chance d'un seul coup. Le Biscayen, le voyant ainsi venir à sa rencontre, jugea de son emportement par sa contenance et résolut de jouer le même jeu que don Quichotte. Il l'attendit de pied ferme, bien couvert de son coussin, mais sans pouvoir tourner ni bouger sa mule, qui, harassée de fatigue, ne voulait avancer ni reculer d'un pas.

Ainsi donc, comme on l'a dit, don Quichotte s'élançait, l'épée haute, contre le prudent Biscayen, dans le dessein de le fendre par la moitié, et le Biscayen l'attendait de même, l'épée en l'air et abrité sous son coussin. Tous les assistants épouvantés attendaient avec anxiété l'issue des effroyables coups dont ils se menaçaient.

Chapitre 14

Où se conclut et termine cette fameuse bataille.

Le premier qui déchargea son coup fut le colérique Biscayen, et ce fut avec tant de force et de fureur que, si l'épée en tombant ne lui eût tourné dans la main, ce seul coup suffisait pour mettre fin au terrible combat et à toutes les aventures de notre chevalier. Mais sa bonne étoile, qui le réservait pour de plus grandes choses, fit tourner l'épée de son ennemi de manière que, bien qu'elle lui frappât en plein sur l'épaule gauche, elle ne lui fit d'autre mal que de lui désarmer tout ce côté-là, lui emportant de compagnie la moitié de l'oreille; et tout cela s'écroula par terre avec un épouvantable fracas. Vive Dieu! qui pourrait à cette heure bonnement raconter de quelle rage fut saisi le cœur de notre Manchois, quand il se vit traiter de la sorte? On ne peut rien dire de plus, sinon qu'il se hissa de nouveau sur ses étriers, et, serrant son épée dans ses deux mains, il la déchargea sur le Biscayen avec une telle furie, en l'attrapant en plein sur le coussin et sur la tête, que, malgré cette bonne défense, et comme si une montagne se fût écroulée sur lui, celui-ci commença à jeter le sang par le nez, par la bouche et par les oreilles, faisant mine de tomber de la mule en bas, ce qui était infaillible s'il ne se fût accroché par les bras à son cou. Mais cependant ses pieds quittèrent les étriers, bientôt après ses bras s'étendirent, et la mule, épouvantée de ce terrible coup, se mettant à courir à travers les champs, en trois ou quatre bonds jeta son cavalier à terre.

Don Quichotte le regardait avec un merveilleux sang-froid: dès qu'il le vit tomber, il sauta de cheval, accourut légèrement et, lui mettant la pointe de l'épée entre les deux yeux, il lui cria de se rendre ou qu'il lui couperait la tête. Le Biscayen était trop étourdi pour pouvoir répondre un seul mot; et son affaire était faite, tant la colère aveuglait don Quichotte, si les dames du carrosse, qui jusqu'alors avaient regardé le combat tout éperdues, ne fussent accourues auprès de lui et ne l'eussent supplié de faire, par faveur insigne, grâce de la vie à leur écuyer.

A cela, don Quichotte répondit avec beaucoup de gravité et de hauteur: «Assurément, mes belles dames, je suis ravi de faire ce que vous me demandez; mais c'est à une condition, et moyennant l'arrangement que voici: que ce chevalier me promette d'aller au village du Toboso, et de se présenter de ma part devant la sans pareille Dulcinée, pour qu'elle dispose de lui tout à sa guise.»

Tremblantes et larmoyantes, ces dames promirent bien vite, sans se faire expliquer ce que demandait don Quichotte, et sans s'informer même de ce qu'était Dulcinée, que leur écuyer ferait ponctuellement tout ce qui lui serait ordonné.

«Eh bien!» reprit don Quichotte, «sur la foi de cette parole, je consens à lui laisser la vie, bien qu'il ait mérité la mort.»

Chapitre 15

Du nouvel entetien qu'eurent don Quichotte et Sancho Panza.

Il y avait déjà quelque temps que Sancho Panza s'était relevé, un peu maltraité par les valets des moines, et, spectateur attentif de la bataille que livrait son seigneur don Quichotte, il priait Dieu du fond de son cœur de vouloir bien donner à celui-ci la victoire pour qu'il y gagnât quelque île et l'en fît gouverneur suivant sa promesse formelle, Voyant donc le combat terminé, et son maître prêt à remonter sur Rossinante, il accourut lui tenir l'étrier; mais avant de le laisser monter à cheval, il se mit à genoux devant lui, lui prit la main, la baisa, et lui dit: «Que Votre Grâce, mon bon seigneur don Quichotte, veuille bien me donner le gouvernement de l'île que vous avez gagnée dans cette formidable bataille; car, si grande qu'elle puisse être, je me sens de force à la savoir gouverner aussi bien que quiconque s'est jamais mêlé de gouverner des îles en ce monde.»

A cela don Quichotte répondit: «Prenez garde, mon frère Sancho, que cette aventure et celles qui lui ressemblent ne sont pas aventures d'îles, mais de croisières de grandes routes, où l'on ne gagne guère autre chose que de s'en aller la tête cassée, ou avec une oreille de moins. Mais prenez patience et d'autres aventures s'offriront où je pourrai vous faire non seulement gouverneur, mais quelque chose de mieux.»

Sancho se confondit en remercîments et, après avoir encore une fois baisé la main de don Quichotte et le pan de sa cotte de mailles, il l'aida à monter sur Rossinante, puis il enjamba son âne et se mit à suivre son maître, lequel, s'éloignant à grands pas, sans prendre congé des dames du carrosse, entra dans un bois qui se trouvait près de là.

Sancho le suivait de tout le trot de sa bête; mais Rossinante cheminait si lestement que, se voyant en arrière, force lui fut de crier à son maître de l'attendre. Don Quichotte retint la bride de Rossinante et s'arrêta jusqu'à ce que son traînard d'écuyer l'eût rejoint.

«Il me semble, seigneur», dit ce dernier en arrivant, «que nous ferions bien d'aller prendre asile dans quelque église; car ces hommes contre qui vous avez combattu sont restés en si piteux état qu'on pourrait bien donner vent de l'affaire à la Sainte-Hermandad et nous mettre dedans.»

«Tais-toi», reprit don Quichotte, «où donc as-tu jamais vu ou lu qu'un chevalier errant eût été traduit devant la justice, quelque nombre d'homicides qu'il eût commis?»

«Je ne sais rien en fait d'homéciles», répondit Sancho, «et de ma vie ne l'ai essayé sur personne; mais je sais bien que ceux qui se battent au milieu des champs ont affaire à la Sainte-Hermandad, et c'est de cela que je ne veux pas me mêler.»

«Eh bien! ne te mets pas en peine, mon ami», répondit don Quichotte; «je te tirerai, s'il le faut, des mains des Philistins, à plus forte raison de celles de la Sainte-Hermandad. Mais, dis-moi, par ta vie! as-tu vu plus vaillant chevalier que moi sur toute la surface de la terre? As-tu lu dans les histoires qu'un autre ait eu plus d'intrépidité dans l'attaque, plus de résolution dans la défense, plus d'adresse à porter les coups, plus de promptitude à culbuter l'ennemi?»

«La vérité est», répliqua Sancho, «que je n'ai jamais lu d'histoires, car je ne sais ni lire ni écrire; mais ce que j'oserais bien gager, c'est qu'en tous les jours de ma vie je n'ai pas servi un maître plus hardi que Votre Grâce; et Dieu veuille que ces hardiesses ne se payent pas comme j'ai déjà dit.»

Chapitre 16

De la nouvelle aventure de notre héros.

Les deux aventuriers s'entretenaient ainsi, quand, sur le chemin qu'ils suivaient, don Quichotte aperçut un épais nuage de poussière qui se dirigeait de leur côté. Dès qu'il le vit, il se tourna vers Sancho et lui dit: «Voici le jour, ô Sancho, où doit se montrer, autant qu'en nul autre, la valeur de mon bras; où je dois faire des prouesses qui demeureront écrites dans le livre de la Renommée pour l'admiration de tous les siècles à venir. Tu vois bien, Sancho, ce tourbillon de poussière? eh bien! il est soulevé par une immense armée qui s'avance de ce côté, formée d'innombrables et diverses nations.»

«En ce cas», reprit Sancho, «il doit y en avoir deux; car voilà que, du côté opposé, s'élève un autre tourbillon.»

Don Quichotte se retourna tout empressé, et, voyant que Sancho disait vrai, il sentit une joie extrême, car il s'imagina sur-le-champ que c'étaient deux armées qui ve-

naient se rencontrer et se livrer bataille au milieu de cette plaine étendue.

Ces tourbillons de poussière qu'ils avaient vus étaient soulevés par deux grands troupeaux de moutons qui venaient sur le même chemin de deux endroits différents, mais si bien cachés par la poussière qu'on ne put les distinguer que lorsqu'ils furent arrivés tout près. Don Quichotte affirmait avec tant d'insistance que c'étaient des armées que Sancho finit par le croire.

«Eh bien! seigneur», lui dit-il, «qu'allons-nous faire, nous autres?»

«Qu'allons-nous faire?» reprit don Quichotte, «porter notre aide et notre secours aux faibles et aux abandonnés.»

Ils quittèrent le chemin et gravirent une petite hauteur, de laquelle on aurait, en effet, parfaitement distingué les deux troupeaux que don Quichotte prenait pour des armées si les nuages de poussière qui se levaient sous leur pieds n'en eussent absolument caché la vue.

Don Quichotte s'écria soudain: «N'entends-tu pas les hennissements des chevaux, le son des trompettes, le bruit des tambours?»

«Je n'entends rien autre chose», répliqua Sancho, «sinon des bêlements d'agneaux et de brebis.»

Ce qui était parfaitement vrai, car les deux troupeaux s'étaient approchés assez près pour être entendus.

«C'est la peur que tu as», reprit don Quichotte, «qui te fait, Sancho, voir et entendre tout de travers; car l'un des effets de cette triste passion est de troubler les sens et de faire paraître les choses autrement qu'elle ne sont. Mais, si ta frayeur est si grande, retire-toi à l'écart, et laisse-moi seul; seul, je donnerai la victoire au parti où je porterai le secours de mon bras.»

En disant ces mots, il enfonça les éperons à Rossinante et, la lance en arrêt, descendit comme un foudre du haut de la colline. Sancho lui criait de toutes ses forces:

«Arrêtez! seigneur don Quichotte, arrêtez! Je jure Dieu que ce sont des moutons et des brebis que vous allez attaquer. Revenez donc, par la vie du père qui m'a engendré. Quelle folie est-ce là?»

Ces cris n'arrêtaient point don Quichotte, lequel, au contraire, se jeta à travers l'escadron des brebis et commença à les larder à coups de lance, avec autant d'ardeur et de rage que s'il eût réellement frappé ses plus mortels ennemis. Les pâtres qui menaient le troupeau lui crièrent d'abord de laissez ces pauvres bêtes; mais, voyant que leurs avis ne servaient de rien, ils délièrent leurs frondes et se mirent à lui saluer les oreilles avec des cailloux gros comme le poing.

L'un d'eux, lui donnant droit dans le côté, lui ensevelit deux côtes au fond de l'estomac. A ce coup, il se crut mort ou grièvement blessé.

Un autre lui écrasa deux doigts horriblement, et lui emporta, chemin faisant, trois ou quatre dents. Force fut au pauvre chevalier de se laisser tomber de son cheval en bas. Les pâtres s'approchèrent de lui, et, croyant qu'ils l'avaient tué, ils se dépêchèrent de rassembler leurs troupeaux, chargèrent sur leur épaules les brebis mortes, dont le nombre passait six à huit, et, sans autre enquête, s'éloignèrent précipitamment.

Chapitre 17

Qui traite de la haute aventure et de la riche conquête
de l'armet de Mambrin.

A peine remis de l'aventure des troupeaux de moutons, il commença de tomber un peu de pluie, et Sancho aurait bien voulu se mettre à l'abri. Mais don Quichotte tourna bride brusquement à main droite, et tous deux arrivèrent à un chemin pareil à celui qu'ils avaient suivi la veille.

A peu de distance, don Quichotte découvrit de loin un homme à cheval, portant sur sa tête quelque chose qui luisait et brillait comme si c'eût été de l'or. A peine l'avait-il aperçu, qu'il se tourna vers Sancho, et lui dit : « Si je ne me trompe, voilà quelqu'un qui vient de notre côté portant coiffé sur sa tête l'armet de Mambrin. »

«Pour Dieu! seigneur», répondit Sancho, «prenez bien garde à ce que vous dites, et plus encore à ce que vous faites.» «Dis-moi», reprit don Quichotte, «ne vois-tu pas ce chevalier qui vient à nous, monté sur un cheval gris pommelé, et qui porte sur la tête un armet d'or?»

«Ce que j'avise et ce que je vois», répondit Sancho, «ce n'est rien autre qu'un homme monté sur un âne gris comme le mien, et portant sur la tête quelque chose qui reluit.»

«Eh bien! ce quelque chose, c'est l'armet de Mambrin», reprit don Quichotte. «Range-toi de côté, et laisse-moi seul avec lui. Tu vas voir comment, sans dire un mot, pour ménager le temps, j'achève cette aventure et m'empare de cet armet que j'ai tant souhaité.»

Or voici ce qu'étaient cet armet, ce cheval et ce chevalier que voyait don Quichotte. Il y avait dans ces environs deux villages voisins; l'un si petit qu'il n'avait ni pharmacie ni barbier; et l'autre plus grand, ayant l'une et l'autre. Le barbier du grand village desservait le petit, dans lequel un malade avait besoin d'une saignée, et un autre habitant de se faire la barbe. Le barbier s'y rendait pour ces deux offices, portant un plat à barbe en cuivre rouge; le sort ayant voulu que la pluie le prît en chemin, pour ne pas tacher son chapeau, qui était neuf sans doute, il mit par-dessus son plat à barbe, lequel, étant bien écuré, reluisait d'une demi-lieue. Il montait un âne gris, comme avait dit Sancho; et voilà pourquoi don Quichotte crut voir un cheval pommelé, un chevalier et un armet d'or; car toutes les choses qui frappaient sa vue, il les arrangeait aisément à son délire chevaleresque et à ses errantes pensées.

Dès qu'il vit que le pauvre chevalier s'approchait, sans

entrer en pourparlers, il fondit sur lui, la lance basse, de tout le galop de Rossinante, bien résolu à le traverser d'outre en outre ; mais, au moment de l'atteindre, et sans ralentir l'impétuosité de sa course, il lui cria : « Défends-toi, chétive créature, ou livre-moi de bonne grâce ce qui m'est dû si justement. »

Le barbier, qui, sans y penser ni le prévoir, vit tout à coup fondre sur lui ce fantôme, ne trouva d'autre moyen de se garer du coup de lance que de se laisser tomber en bas de son âne ; puis, dès qu'il eut touché la terre, il se releva, plus agile qu'un daim, et se mit à courir si légèrement à travers la plaine que le vent même n'eût pu l'attraper. Il laissa son bassin par terre, et c'est tout ce que demandait don Quichotte.

Il ordonna ensuite à Sancho de ramasser l'armet, et celui-ci le donna à son maître, qui le mit aussitôt sur sa tête, le tournant et le retournant de tous côtés pour en trouver l'enchâssure ; et comme il ne pouvait en venir à bout : « il faut », s'écria-t-il, « que ce païen, à la mesure duquel on a forgé pour la première fois cette fameuse salade, ait eu la tête bien grosse ; et le pis, c'est qu'il en manque la moitié. »

Quand Sancho entendit appeler salade un plat à barbe, il ne put retenir un grand éclat de rire ; mais la colère de son maître lui revenant en mémoire, il fit halte à mi-chemin.

« De quoi ris-tu, Sancho ? » lui demanda don Quichotte.

« Je ris », répondit-il, « en considérant quelle grosse tête devait avoir le païen, premier maître de cet armet, qui ressemble à un bassin de barbier comme une mouche à l'autre. »

«Sais-tu ce que j'imagine, Sancho?» reprit don Quichotte. «Que cette pièce fameuse, cet armet enchanté, a dû, par quelque étrange accident, tomber aux mains de quelqu'un qui ne sut ni connaître ni estimer sa valeur, et que ce nouveau maître, sans savoir ce qu'il faisait, et le voyant de l'or le plus pur, s'imagina d'en fondre la moitié pour en faire argent; de sorte que l'autre moitié est restée sous cette forme, qui ne ressemble pas mal, comme tu dis, à un plat de barbier. Mais qu'il en soit ce qu'il en est; pour moi, qui le connais, sa métamorphose m'importe peu; je le remettrai en état au premier village où je rencontrerai un forgeron. En attendant, je le porterai comme je pourrai, car mieux vaut quelque chose que rien du tout, et d'ailleurs il sera bien suffisant pour me défendre d'un coup de pierre.» Cela dit, ils suivirent le grand chemin à l'aventure, et sans aucun parti pris.

Chapitre 18

De la liberté que rendit don Quichotte à quantité de malheureux
que l'on conduisait, contre leur gré, où ils eussent été bien aises de ne pas aller.

Après que le fameux don Quichotte de la Manche et Sancho Panza, son écuyer, eurent échangé les propos qui sont rapportés à la fin du chapitre 17, don Quichotte leva les yeux et vit venir, sur le chemin qu'il suivait, une douzaine d'hommes à pied, enfilés par le cou à une longue chaîne de fer, comme les grains d'un chapelet, et portant tous des menottes aux bras. Ils étaient accompagnés de deux hommes à cheval et de deux hommes à pied, ceux à cheval portant des arquebuses à rouet, ceux à pied, des piques et des épées.

Dès que Sancho les aperçut, il s'écria : « Voilà la chaîne des galériens, forçats du roi, qu'on mène ramer aux galères. »

« Comment ! forçats ? » répondit don Quichotte. « Est-ce possible que le roi fasse violence à personne ? »

« Je ne dis pas cela », reprit Sancho, « je dis que ce sont des gens condamnés pour leurs délits à servir par force le roi dans les galères. »

« Finalement », répliqua don Quichotte, « et quoi qu'il en soit, ces gens que l'on conduit vont par force et non de leur plein gré ? »

« Rien de plus sûr », répondit Sancho.

« Eh bien ! alors », reprit son maître, « c'est ici que se présente l'exécution de mon office qui est d'empêcher les violences et de secourir les malheureux. »

« Faites attention », dit Sancho, « que la justice, qui est la même chose que le roi, ne fait ni violence ni outrage à de semblables gens. »

Sur ces entrefaites, la chaîne des galériens arriva près d'eux, et don Quichotte, du ton le plus honnête, pria les gardiens de l'informer de la cause ou des causes pour lesquelles ils menaient de la sorte ces pauvres gens.

« Ce sont des forçats », répondit un des gardiens à cheval, « qui vont servir Sa Majesté sur les galères. Je n'ai rien de plus à vous dire, et vous, rien de plus à demander. »

« Cependant », répliqua don Quichotte, « je voudrais bien savoir sur chacun d'eux en particulier la cause de leur disgrâce. »

A cela il ajouta d'autres propos si polis pour les engager à l'informer de ce qu'il désirait tant savoir que l'autre gardien lui dit enfin : « Nous avons bien ici le registre où

50

sont consignées les condamnations de chacun de ces misérables; mais ce n'est pas le moment de nous arrêter pour l'ouvrir et en faire lecture. Approchez-vous et questionnez-les eux-mêmes; ils vous répondront s'ils en ont envie.»

Avec cette permission don Quichotte s'approcha de la chaîne et demanda au premier venu pour quels péchés il allait en si triste équipage.

«Pour avoir été amoureux», répondit l'autre.

«Quoi! pas davantage?» s'écria don Quichotte. «Par ma foi! si l'on condamne les gens aux galères pour être amoureux, il y a longtemps que je devrais y ramer.»

«Oh! mes amours ne sont pas de ceux qu'imagine Votre Grâce», répondit le galérien. «Quant à moi, j'aimai si éperdument une corbeille de lessive remplie de linge blanc, et je la serrai si étroitement dans mes bras que, si la justice ne me l'eût arrachée par force, je n'aurais pas encore, à l'heure qu'il est, cessé mes caresses. Je fus pris en flagrant délit, on me chatouilla les épaules de cent coups de fouet, et quand j'aurai, par-dessus le marché, fauché le grand pré pendant trois ans, l'affaire sera faite.»

«Qu'est-ce que cela, faucher le grand pré?» demanda don Quichotte.

«C'est ramer aux galères», répondit le forçat, homme d'environ vingt-quatre ans.

Don Quichotte fit la même demande au second, qui ne voulut pas répondre un mot, tant il marchait triste et mélancolique.

Lorsque don Quichotte interrogea le troisième galérien, celui-ci, sans se faire tirer l'oreille, répondit d'un ton dégagé: «Moi, je vais faire une visite de cinq ans à mesdames les galères, faute de dix ducats.»

«J'en donnerais bien vingt de bon cœur pour vous préserver de cette peine», s'écria notre chevalier.

Don Quichotte passa au quatrième. C'était un homme de vénérable aspect, avec une longue barbe blanche qui lui

couvrait toute la poitrine; lequel s'entendant demander pour quel motif il se trouvait à la chaîne, se mit à pleurer sans répondre un mot; mais le cinquième condamné lui servit de truchement.

«Cet honnête barbon», dit-il, «va pour quatre ans aux galères, après avoir été promené en triomphe dans les rues à cheval et magnifiquement vêtu.»

«Cela veut dire, si je ne me trompe», interrompit Sancho, «qu'il a fait amende honorable, et qu'il est monté au pilori.»

«Tout justement», reprit le galérien; «et le délit qui lui a valu cette peine, c'est d'avoir été courtier d'oreille et même du corps tout entier; je veux dire que ce gentilhomme est ici en qualité de proxénète, et parce qu'il avait aussi quelques grains de sorcellerie.»

Don Quichotte, continuant son interrogatoire, demanda au suivant quel était son crime; celui-ci lui répondit: «Je suis ici pour avoir trop folâtré avec deux de mes cousines germaines et avec deux autres cousines qui n'étaient pas les miennes. Finalement, nous avons si bien joué tous ensemble aux petits jeux innocents qu'il en est arrivé un accroissement de famille tel et tellement embrouillé qu'un faiseur d'arbres généalogiques n'aurait pu s'y reconnaître.»

Chapitre 19

Où se poursuit l'aventure des galériens.

Derrière tous ceux-là venait un homme d'environ trente ans, bien fait et de bonne mine. Il était attaché bien différemment de ses compagnons; car il portait au pied une chaîne si longue qu'elle lui faisait, en remontant, le tour du corps, puis deux forts anneaux à la gorge, l'un rivé à la chaîne, l'autre comme une espèce de carcan duquel partaient deux barres de fer qui descendaient jusqu'à la ceinture et aboutissaient à deux menottes où il avait les mains attachées par de gros cadenas; de manière qu'il ne pouvait ni lever ses mains à sa tête, ni baisser sa tête à ses mains. Don Quichotte demanda pourquoi cet homme portait ainsi bien plus de fers que les autres.

Le gardien répondit que c'était parce qu'il avait commis plus de crimes à lui seul que tous les autres ensemble, et que c'était un si hardi et si rusé coquin que, même en le gardant de cette manière, ils n'étaient pas très sûrs de le tenir, et qu'ils avaient toujours peur qu'il ne vînt à leur échapper. «Il n'y a rien de plus à dire, sinon que c'est le fameux Ginès de Passamont, autrement dit Ginésille de Parapilla» ajouta le gardien.

«Holà! seigneur commissaire», dit alors le galérien, «je m'appelle Ginès et non Ginésille; et Passamont est mon nom de famille, non point Parapilla, comme vous dites.»

«Parlez un peu moins haut, seigneur larron de la grande espèce», répliqua le commissaire, «si vous n'avez envie que je vous fasse taire par les épaules.»

«Quelque jour, quelqu'un saura si je m'appelle ou non Ginésille de Parapilla.»

«N'est-ce pas ainsi qu'on t'appelle, imposteur?» s'écria le gardien.

«Oui, je le sais bien», reprit le forçat; «mais je ferai en sorte qu'on ne me donne plus ce nom. Seigneur chevalier, si vous avez quelque chose à nous donner, donnez-nous-le vite, et allez à la garde de Dieu, car tant de questions sur la vie du prochain commencent à nous ennuyer; et si vous voulez connaître la mienne, sachez que je suis Ginès de Passamont, dont l'histoire est écrite par les cinq doigts de cette main.»

«Il dit vrai», reprit le commissaire, «lui-même a écrit sa vie, et si bien qu'on ne peut rien désirer de mieux. Mais il a laissé le livre en gage dans la prison pour deux cents réaux.»

«Et quel est le titre du livre?» demanda don Quichotte.

«*La Vie de Ginès de Passamont*», répondit l'autre.

«Est-il fini?» reprit don Quichotte.

«Comment peut-il être fini», répliqua Ginès, «puisque ma vie ne l'est pas? Ce qui est écrit comprend depuis le jour de ma naissance jusqu'au moment où l'on m'a condamné cette dernière fois aux galères.»

«Vous y aviez donc été déjà?» reprit don Quichotte.

«Pour servir Dieu et le roi», répondit Ginès, «j'y ai déjà fait quatre ans une autre fois». S'adressant à tous les forçats de la chaîne, don Quichotte ajouta: «De tout ce que vous venez de me dire, mes très chers frères, je découvre clairement que, bien qu'on vous ait punis pour vos fautes, les châtiments que vous allez subir ne sont pas fort de votre goût, et qu'enfin vous allez aux galères tout à fait contre votre gré. Je dois montrer à votre égard pourquoi le ciel m'a mis au monde, pourquoi il a voulu que je fisse profession dans l'ordre de chevalerie dont je suis membre, et pourquoi j'ai fait vœu de porter secours aux malheureux et aux faibles qu'oppriment les forts. Je veux, donc, prier messieurs les gardiens et monsieur le commissaire de vouloir bien vous détacher et vous laisser aller en paix ; d'autres ne manqueront pas pour servir le roi en meilleures occasions, et c'est, à vrai dire, une chose monstrueuse de rendre esclaves ceux que Dieu et la nature ont faits libres. Et d'ailleurs, seigneurs gardiens», continua don Quichotte, «ces pauvres diables ne vous ont fait nulle offense ; eh bien ! que chacun d'eux reste avec son péché : Dieu est là-haut dans le ciel, qui n'oublie ni de châtier le méchant ni de récompenser le bon, et il n'est pas bien que des hommes d'honneur se fassent les bourreaux d'autres hommes, quand ils n'ont nul intérêt à cela. Je vous prie avec ce calme et cette douceur, afin d'avoir, si vous accédez à ma demande, à vous remercier de quelque chose. Mais si vous ne le faites de bonne grâce, cette lance et cette épée, avec la valeur de mon bras, vous feront bien obéir par force.»

Chapitre 20

«Voilà, pardieu, une gracieuse plaisanterie!» s'écria le commissaire. «Ne veut-il pas que nous laissions aller les forçats du roi, comme si nous avions le pouvoir de les lâcher, ou qu'il eût celui de nous en donner l'ordre! Allons donc, seigneur, passez votre chemin, et redressez un peu le bassin que vous avez sur la tête, sans vous mêler de chercher cinq pattes à notre chat.»

«C'est vous qui êtes le chat, le rat, le forçat et le goujat!» s'écria don Quichotte. Et sans dire gare, il s'élança sur lui avec tant de furie qu'avant que l'autre ait eu le temps de se mettre en garde il le jeta sur le carreau grièvement blessé d'un coup de lance. Le bonheur voulut que ce fût justement l'homme à l'arquebuse. Les autres gardes restèrent d'abord étonnés et stupéfaits à cette attaque inattendue; mais, reprenant bientôt leurs esprits, ils empoignèrent, ceux à cheval leurs épées, ceux à pied leurs piques, et assaillirent tous ensemble don Quichotte, qui les attendait avec un merveilleux sang-froid. Et sans doute il eût passé un mauvais quart d'heure si les galériens, voyant cette belle occasion de retrouver la liberté, n'eussent fait tous leurs efforts pour rompre la chaîne où ils étaient attachés côte à côte. La confusion devint alors si grande que les gardiens, tantôt accourant aux forçats qui se détachaient, tantôt attaquant don Quichotte, dont ils étaient attaqués, ne firent enfin rien qui vaille. Sancho aidait de son côté à délivrer Ginès de Passamont. Dès que celui-ci se vit libre, il prit l'épée et l'arquebuse du commissaire abattu, et visant l'un, visant l'autre, sans tirer jamais, il eut bientôt fait vider le champ de bataille à tous les

gardes, qui échappèrent, en fuyant, aussi bien à l'arquebuse de Passamont qu'aux pierres que leur lançaient sans
relâche les autres galériens délivrés.

Sancho s'affligea beaucoup de ce bel exploit, se dou-
tant bien que ceux qui se sauvaient à toutes jambes allaient rendre compte de l'affaire à la Saint-Hermandad,
laquelle se mettrait, au son des cloches et des tambours, à
la poursuite des coupables. Il communiqua cette crainte à
son maître, qu'il pria de s'éloigner bien vite du chemin et
de s'enfoncer dans la montagne qui était proche.

«C'est fort bien», répondit don Quichotte, «mais je sais
ce qu'il convient de faire avant tout.»

Appelant alors tous les galériens, qui avaient dépouillé
le commissaire jusqu'à la peau, don Quichotte leur tint ce
discours: «Vous avez vu, seigneurs, le bienfait que vous
avez reçu de moi. Je désire donc, que, chargés de cette
chaîne dont j'ai délivré vos épaules, vous vous mettiez im-
médiatement en chemin pour vous rendre à la cité du Toboso; que là vous vous présentiez devant ma dame, Dulcinée du Toboso, à laquelle vous direz que son chevalier,
celui de la Triste-Figure, lui envoie ses compliments, et
vous lui conterez mot pour mot tous les détails de cette
fameuse aventure. Après quoi vous pourrez vous retirer
et vous en aller chacun à la bonne aventure.»

Ginès de Passamont, se chargeant de répondre pour
tous, dit à don Quichotte: «Ce que Votre Grâce nous
ordonne, seigneur chevalier notre libérateur, est impossible à faire; car nous ne pouvons aller tous ensemble le
long de ces grands chemins, mais, au contraire, seuls, iso-
lés, pour n'être pas rencontrés par la Sainte-Hermandad,
qui va sans aucun doute lâcher ses limiers à nos trousses.
Penser que nous allons reprendre notre chaîne et suivre le

chemin du Toboso, nous demander une telle folie, c'est demander des poires à l'ormeau.»

«Eh bien! je jure Dieu», s'écria don Quichotte, s'enflammant de colère, «don Ginésille de Paropillo, ou comme on vous appelle, que vous irez tout seul, l'oreille basse et la queue entre les jambes, avec toute la chaîne sur le dos.»

Passamont, qui n'était pas fort endurant de sa nature, se voyant traiter si cavalièrement, cligna de l'œil à ses compagnons, lesquels, firent pleuvoir sur don Quichotte une telle grêle de pierres qu'il n'avait pas assez de mains pour se couvrir de sa rondache; et quant au pauvre Rossinante, il ne faisait pas plus de cas de l'éperon que s'il eût été coulé en bronze. Sancho se jeta derrière son âne et se défendit avec cet écu du nuage de pierres qui crevait sur tous les deux. Bien vite, il ne resta plus sur la place que l'âne, Rossinante, Sancho et don Quichotte : l'âne, pensif et tête basse, secouant de temps en temps les oreilles, comme si l'averse de pierres n'eût pas encore cessé; Rossinante, étendu le long de son maître, également sur le carreau; Sancho, en manches de chemise, et tremblant à l'idée de la Sainte-Hermandad; enfin don Quichotte, l'âme navrée de se voir ainsi maltraité par ceux-là mêmes qui lui devaient un si grand bienfait.

Chapitre 21

Qui traite des circonstances du vol de l'âne de Sancho.

Don Quichotte, se voyant en si triste état, dit à son écuyer : «Toujours, Sancho, j'ai entendu dire que faire du bien à la canaille, c'est jeter de l'eau dans la mer. Si j'avais cru ce que tu m'as dit, j'aurais évité ce déboire; mais la chose est faite, prenons patience pour le moment, et tirons expérience pour l'avenir.»

«Vous tirerez expérience», répondit Sancho, «tout comme je suis Turc. Mais, puisque vous dites que, si vous m'eussiez cru, vous eussiez évité ce malheur, croyez-moi maintenant, et vous en éviterez un bien plus grand encore. Car je vous déclare qu'avec la Sainte-Hermandad il n'y a pas de chevalerie qui tienne, et qu'elle ne fait pas cas de tous les chevaliers errants du monde pour deux maravédis. Tenez, il me semble déjà que ses flèches me sifflent aux oreilles.»

«Tu es naturellement poltron, Sancho», reprit don Quichotte, «mais, afin que tu ne dises pas que je suis entêté, et que je ne fais jamais ce que tu me conseilles, pour cette fois, je veux suivre ton avis, et me mettre à l'abri de ce courroux qui te fait si peur. Mais c'est à une condition: que jamais, en la vie ou en la mort, tu ne diras à personne que je me suis éloigné et retiré de ce péril par frayeur, mais bien pour complaire à tes supplications.»

Don Quichotte monta sur sa bête et, Sancho prenant les devants sur son âne, ils entrèrent dans une gorge de la Sierra-Morena, dont ils étaient proches. L'intention de Sancho était de traverser toute cette chaîne de montagnes et d'aller déboucher au Viso ou bien à Almodovar del Campo, après s'être cachés quelques jours dans les solitudes, pour échapper à la Sainte-Hermandad, si elle se mettait à leur piste.

Les deux voyageurs arrivèrent cette nuit même au cœur de la Sierra-Morena, où Sancho trouva bon de faire halte, et même de passer quelques jours, au moins tant que dureraient les vivres. Ils s'arrangèrent donc pour la nuit entre deux roches et quantité de grands lièges. Mais la destinée, qui selon l'opinion de ceux que n'éclaire point la vraie foi, ordonne et règle tout à sa fantaisie, voulut que Ginès de Passamont, cet insigne voleur qu'avaient délivré de la chaîne la vertu et la folie de don Quichotte, poussé par la crainte de la Sainte-Hermandad, qu'il redoutait avec juste raison, eût aussi songé à se cacher dans ces montagnes. Elle voulut de plus que sa frayeur et son étoile l'eussent conduit précisément où s'étaient arrêtés don Quichotte et Sancho Panza, qu'il reconnut aussitôt, et qu'il laissa paisiblement endormir. Comme les méchants sont toujours ingrats, comme la nécessité est l'occasion qui fait le larron, et que le présent fait oublier l'avenir, Ginès, qui n'avait pas plus de reconnaissance que de bonnes intentions, résolut de voler l'âne de Sancho Panza, se souciant peu de Rossinante, qui lui parut un aussi mauvais meuble à vendre qu'à mettre en gage. Sancho dormait; Ginès lui vola son âne, et, avant que le jour vînt, il était trop loin pour qu'on pût le rattraper.

L'aurore parut, réjouissant la terre et attristant le bon Sancho Panza; car, ne trouvant plus son âne, et se voyant sans lui, il se mit à faire les plus tristes et les plus douloureuses lamentations, tellement que don Quichotte s'éveilla au bruit de ses plaintes. Ayant appris les raisons de ces pleurs, don Quichotte consola par les meilleurs raisonnements qu'il put trouver son écuyer et lui promit de lui donner une lettre de change de trois ânons sur cinq qu'il avait laissés dans son écurie. A cette promesse, Sancho se consola, sécha ses larmes, calma ses sanglots, et remercia son maître de la faveur qu'il lui faisait.

Chapitre 22

Don Quichotte, remonta sur Rossinante et donna ordre à
Sancho de le suivre; lequel obéit, mais de mauvaise grâce,
forcé qu'il était d'aller à pied. Ils pénétraient peu à peu
dans le plus âpre de la montagne. Sancho dit à son maître: «Est-ce une bonne règle de chevalerie, que nous al-
lions ainsi par ces montagnes comme des enfants perdus,
sans chemin ni sentier?»

Don Quichotte répondit: «Il faut que tu saches que ce
qui m'amène dans ces lieux déserts est le désir d'y faire
une prouesse capable d'éterniser mon nom et de répandre
ma renommée sur toute la face de la terre, telle enfin
qu'elle doit mettre le sceau à tous les mérites qui rendent
parfait et fameux un chevalier errant.»

«Et cette prouesse est-elle bien périlleuse?» demanda
Sancho.

«Non», répondit le chevalier de la Triste-Figure, «mais
tout dépendra de ta diligence.»

«Comment de ma diligence?» reprit Sancho.

«Oui», reprit don Quichotte, «car, si tu reviens vite
d'où je vais t'envoyer, vite finira ma peine et vite com-
mencera ma gloire. Mais comme il n'est pas juste que je te
tienne davantage en suspens et dans l'attente du sujet de
mes propos, je veux que tu saches, ô Sancho, que le fameux Amadis de Gaule fut un des plus parfaits chevaliers
errants; que dis-je? un des plus parfaits! le seul, l'unique,
le premier, le seigneur de tous les chevaliers qui étaient au
monde de son temps.

Amadis fut le nord, l'étoile et le soleil des chevaliers vaillants et amoureux, et c'est lui que nous devons imiter, nous tous qui sommes engagés sous les bannières de l'amour et de la chevalerie. Or l'une des choses où ce chevalier fit le plus éclater sa prudence, sa valeur, sa fermeté, sa patience et son amour, ce fut quand il se retira, dédaigné par sa dame Oriane, pour faire pénitence sur la Roche-Pauvre, après avoir changé son nom en celui du Beau-Ténébreux, nom significatif, à coup sûr, et bien propre à la vie qu'il s'était volontairement imposée. Ainsi, comme il m'est plus facile de l'imiter en cela qu'à pourfendre des géants, à décapiter des andriaques, à défaire des armées, à disperser des flottes et à détruire des enchantements; comme, d'ailleurs, ces lieux sauvages sont admirablement propres à de tels desseins, je n'ai pas envie de laisser passer sans la saisir l'occasion qui m'offre si commodément les mèches de ses cheveux.»

«En fin de compte», demanda Sancho, «qu'est-ce que Votre Grâce prétend faire dans cet endroit si écarté?»

«Ne t'ai-je pas dit», répondit don Quichotte, «que je veux imiter Amadis faisant le désespéré, l'insensé, le furieux? Fou je suis, et fou je dois être jusqu'à ce que tu reviennes avec la réponse d'une lettre que je pense te faire porter à ma dame Dulcinée. Si cette réponse est telle que la mérite ma foi, aussitôt cesseront ma folie et ma pénitence; si le contraire arrive, alors je deviendrai fou tout de bon, et n'aurai plus nul sentiment. Ainsi, de quelque manière qu'elle réponde, je sortirai de la confusion et du tourment où tu m'auras laissé, jouissant du bien que tu m'apporteras, à la faveur de ma raison, ou cessant de sentir le mal, à la faveur de ma folie.»

Ils arrivèrent, tout en causant ainsi, au pied d'une haute montagne qui s'élevait seule, comme une roche taillée en pic, au milieu de plusieurs autres dont elle était entourée. Sur son flanc courait un ruisseau limpide, et tout à l'entour s'étendait une prairie. Beaucoup d'arbres dispersés çà et là et quelques fleurs des champs embellissaient encore cette douce retraite. Ce fut le lieu que choisit le chevalier de la Triste-Figure pour faire sa pénitence. Dès qu'il l'eut aperçu, il se mit à s'écrier à haute voix comme s'il eût déjà perdu la raison: «Voici l'endroit, ô ciel, que j'adopte et choisis pour pleurer l'infortune où vous-même m'avez fait descendre; voici l'endroit où les pleurs de mes yeux augmenteront les eaux de ce petit ruisselet, où mes profonds et continuels soupirs agiteront incessamment les feuilles de ces arbres sauvages, en signe et en témoignage de l'affliction qui déchire mon cœur outragé. Et toi, ô mon écuyer, agréable et fidèle compagnon de ma bonne et mauvaise fortune, retiens bien dans ta mémoire ce qu'ici tu me verras faire, pour que tu le transmettes et le racontes à celle qui en est la cause unique!»

Chapitre 23

Où se poursuit la pénitence de don Quichotte dans la Sierra Morena.

En disant ces derniers mots, il mit pied à terre, se hâta d'ôter les mors et la selle à Rossinante, et le frappant doucement sur la croupe avec la paume de la main: «Reçois la liberté», lui dit-il, «de celui qui l'a perdue, ô coursier aussi excellent par tes œuvres que malheureux par ton sort! Va-t-en, prends le chemin que tu voudras.»

Sancho, voyant cela, dit: «En vérité, seigneur chevalier de la Triste-Figure, si mon départ et votre folie ne sont pas pour rire, mais tout de bon, il sera fort à propos de resseller Rossinante, pour qu'il supplée au défaut du grison; ce sera gagner du temps sur l'allée et le retour; car si je fais à pied le chemin, je ne sais ni quand j'arriverai ni quand je reviendrai, tant je suis pauvre marcheur.»

«Je dis, Sancho», répondit don Quichotte, «que tu fasses comme tu voudras, et que ton idée ne me semble pas mauvaise. Et j'ajoute que tu partiras dans trois jours, afin que tu voies d'ici là tout ce que je fais et dis pour elle, et que tu puisses le lui répéter.»

«Et qu'est-ce que j'ai à voir», reprit Sancho, «de plus que je n'ai vu?»

«Tu n'es pas au bout du compte», répondit don Quichotte. «A présent ne faut-il pas que je déchire mes vêtements, que je disperse les pièces de mon armure, et que je fasse des culbutes la tête en bas sur ces rochers, ainsi que d'autres choses de même espèce qui vont exciter ton admiration?»

«Pour l'amour de Dieu», reprit Sancho, «que Votre Grâce prenne bien garde à la manière de faire ces culbutes; vous pourriez tomber sur une telle roche et en telle posture qu'au premier saut se terminerait toute la machine de cette pénitence. Ecrivez la lettre et dépêchez-moi vite, car j'ai la meilleure envie de revenir tirer Votre Grâce de ce purgatoire où je la laisse.»

«Purgatoire, dis-tu Sancho?» reprit don Quichotte. «Tu ferais mieux de l'appeler enfer, et pire encore s'il y a quelque chose de pire. Mais comment ferons-nous pour écrire la lettre?»

«Et puis aussi la lettre de change des ânons», ajouta Sancho.

«Tout y sera compris», répondit don Quichotte. «Et,

puisque le papier manque, il serait bon que nous l'écrivissions, comme faisaient les anciens, sur des feuilles d'arbre, ou sur des tablettes de cire, quoique à vrai dire il ne serait pas plus facile de trouver de la cire que du papier.»

Don Quichotte ayant trouvé finalement de quoi écrire, se mit à l'écart et commença d'un grand sang-froid à rédiger la lettre. Quand il l'eut finie, il appela Sancho et lui dit: «Ecoute donc, voici comment elle est conçue:

Lettre de don Quichotte à Dulcinée du Toboso.

Haute et souveraine dame,

Le piqué au vif des pointes de l'absence, le blessé dans l'intime région du cœur, dulcissime Dulcinée du Toboso, te souhaite la bonne santé dont il ne jouit plus. Si ta beauté me dédaigne, si tes mérites cessent d'être portés en ma faveur, et si tes rigueurs entretiennent mes angoisses, bien que je sois passablement rompu à la souffrance, mal pourrai-je me maintenir en une transe semblable, qui n'est pas seulement forte, mais durable à l'avenant. Mon bon écuyer Sancho te fera une relation complète, ô belle ingrate, ô ennemie adorée, de l'état où je me trouve à ton intention. S'il te plaît de me secourir, je suis à toi; sinon fais à ta fantaisie, car, en terminant mes jours, j'aurai satisfait à mon désir et à ta cruauté. A toi jusqu'à la mort,

Le chevalier de la Triste-Figure.

«Par la vie de mon père!» s'écria Sancho, quand il eut entendu lire cette lettre, «voilà bien la plus haute et la plus merveilleuse pièce que j'aie jamais entendue! Or çà, mettez maintenant au revers de la page la cédule pour les trois ânons, et signez-la très clairement; pour qu'en la voyant on reconnaisse votre écriture.»

«Volontiers», dit don Quichotte. Et ainsi fut fait.

«C'est très bien», s'écria Sancho. «Laissez maintenant que j'aille seller Rossinante, et préparez-vous à me donner votre bénédiction; car je veux me mettre en route tout à l'heure, sans voir les extravagances que vous avez à faire.»

«Pour le moins, je veux, Sancho», repartit don Quichotte, «que tu me voies tout nu, sans autre habit que la peau, faire une ou deux douzaines de folies. Ce sera fini

en moins d'une demi-heure.» Aussitôt, tirant ses chausses en toute hâte, il resta nu en pan de chemise; puis, sans autre façon, il se donna du talon dans le derrière, fit deux cabrioles en l'air et deux culbutes, la tête en bas et les pieds en haut, découvrant de telles choses que, pour ne les pas voir davantage, Sancho tourna bride et se tint pour satisfait de pouvoir jurer que son maître demeurait fou.

Chapitre 24

Où l'on raconte ce que devint Sancho et ce qui lui arriva
dans son ambassade.

Dès qu'il eut gagné la grand'route, il se mit en quête du Toboso, et atteignit le lendemain une hôtellerie. A peine l'eut-il aperçue que deux hommes sortirent de la maison, et, dès qu'ils le virent, l'un d'eux dit à l'autre: «Dites-moi, seigneur licencié, cet homme à cheval, n'est-ce pas Sancho Panza, celui que la gouvernante de notre aventurier prétend avoir suivi son maître en guise d'écuyer?»

«C'est lui-même», répondit le licencié, «et voilà le cheval de notre don Quichotte.»

Ils avaient, en effet, reconnu facilement l'homme et sa monture; car c'étaient le curé et le barbier du village, ceux qui avaient fait le procès et l'auto-da-fé des livres de chevalerie. Aussitôt qu'ils eurent achevé de reconnaître Sancho et Rossinante, désirant savoir des nouvelles de don Quichotte, ils s'approchèrent du cavalier, et le curé, l'appelant par son nom: «Ami Sancho Panza», lui dit-il, «qu'est-ce que fait votre maître?»

Sancho les reconnut aussitôt. Sur-le-champ il leur conta, d'un seul trait et sans prendre haleine, en quel état il avait laissé don Quichotte, les aventures qui leur étaient arrivées, et comment il portait une lettre à Mme Dulcinée du Toboso, qui était la fille de Lorenzo Corchuelo, dont son Maître avec le cœur épris jusqu'au foie.

Les deux questionneurs restèrent tout ébahis de ce que leur contait Sancho; et, bien qu'ils connussent déjà la folie de don Quichotte et l'étrange nature de cette folie, leur étonnement redoublait toutes les fois qu'ils en apprenaient des nouvelles. Ils prièrent Sancho Panza de leur montrer la lettre qu'il portait à Mme Dulcinée du Toboso. Sancho Panza mit aussitôt la main dans son sein pour la chercher; mais il ne la trouva point. Le bon écuyer devint pâle comme un mort. Voyant cela, le curé et le barbier lui demandèrent à la fois ce qui lui était arrivé.

«Ce qui m'est arrivé!» s'écria Sancho, «que j'ai perdu de la main à la main trois ânons dont le moindre était comme un château.»

«Comment cela?» répliqua le barbier.

«C'est que j'ai perdu la lettre à Dulcinée», reprit Sancho, «et de plus une cédule signée de monseigneur, par laquelle il ordonnait à sa nièce de me donner trois ânons sur quatre ou cinq qui sont à l'écurie.»

Et là-dessus Sancho leur conta la perte du grison. Le curé le consola, en lui disant que, dès qu'il trouverait son maître, il lui ferait renouveler la donation, et que cette fois le mandat serait écrit sur du papier, selon la loi et la coutume. Après cela Sancho se mit à conter les aventures de son maître. Il ajouta que son seigneur, dès qu'il aurait reçu de favorables dépêches de sa dame Dulcinée du Toboso, allait se mettre en campagne pour tâcher de devenir empereur, ou monarque pour le moins, ainsi qu'ils en étaient convenus entre eux; et que c'était une chose toute simple et très facile, tant était grande la valeur de sa personne et la force de son bras; puis, qu'aussitôt qu'il serait monté sur le trône, il le marierait, lui Sancho, qui serait alors veuf, parce qu'il ne pouvait en être autrement, et qu'il lui donnerait pour femme une suivante de l'impératrice, héritière d'un riche et grand État en terre ferme, n'ayant pas plus d'îles que d'îlots, desquels il ne se souciait plus.

Sancho débitait tout cela d'un air si grave, en s'essuyant de temps en temps le nez et la barbe, et d'un ton si dénué de bon sens que les deux autres tombaient de leur haut, considérant quelle violence devait avoir eue la folie de don Quichotte, puisqu'elle avait emporté après elle le jugement de ce pauvre homme.

«Ce qui importe à présent, c'est de chercher à tirer votre maître de cette inutile pénitence qu'il s'amuse à faire là-bas, à ce que vous dites.», dit le curé.

Ensuite, ce dernier et le barbier se mirent à disserter ensemble sur les moyens qu'il fallait employer pour réussir dans leur projet, et le curé vint à s'arrêter à une idée parfaitement conforme au goût de don Quichotte, ainsi qu'à leur intention. «Ce que j'ai pensé», dit-il au barbier, «c'est de prendre le costume d'une damoiselle errante, tandis que vous vous arrangerez le mieux possible en écuyer. Nous irons ensuite trouver don Quichotte; et puis, feignant d'être une damoiselle affligée et quêtant du secours, je lui demanderai un don, qu'il ne pourra manquer de m'octroyer, en qualité de valeureux chevalier errant, et ce don que je pense réclamer, c'est qu'il m'accompagne où il me plaira de le conduire, pour défaire un tort que m'a fait un chevalier félon. Je le supplierai aussi de ne point me faire lever mon voile, ni de m'interroger sur mes affaires, jusqu'à ce qu'il m'ait rendu raison de ce discourtois chevalier. Je ne doute point que don Quichotte ne se rende à tout ce qui lui sera demandé sous cette forme, et nous pourrons ainsi le tirer de là, pour le ramener au pays, où nous essayerons de trouver quelque remède à son étrange folie.»

Chapitre 25

Qui traite du retour de don Quichotte dans son village.

Après avoir tiré don Quichotte des entrailles de la Sierra Morena, et à la suite de multiples aventures survenues dans l'hôtellerie où ils se trouvaient lorsqu'ils rencontrèrent le fidèle écuyer et ambassadeur de notre chevalier, le curé et le barbier, accompagnés de nos deux aventuriers, reprirent le chemin de leur village natal. Entre-temps, Sancho eut la grande joie de retrouver son cher grison.

Au bout de six jours ils arrivèrent au pays. C'était au beau milieu de la journée, qui se trouva justement un dimanche, et tous les habitants étaient réunis sur la place.

A la nouvelle du retour de don Quichotte, la femme de Sancho Panza accourut bien vite, car elle savait que son mari était parti pour lui servir d'écuyer. Dès qu'elle vit Sancho, la première question qu'elle lui fit ce fut, si l'âne se portait bien. Sancho répondit que l'âne était mieux portant que le maître. «Ami» s'écria-t-elle, «contez-moi quelle bonne fortune vous avez tirée de vos fonctions écuyères; quelle jupe à la savoyarde m'apportez-vous? et quels souliers mignons à vos enfants?»

«Je n'apporte rien de tout cela, femme», répondit Sancho, «mais j'apporte d'autres choses de plus de poids et de considération.»

«J'en suis toute ravie», répliqua la femme; «montrez-moi vite, cher ami, ces choses de plus de considération et de poids; je les veux voir pour qu'elles réjouissent ce pauvre cœur qui est resté si triste et si inconsolable tous les siècles de votre absence.»

«Vous les verrez à la maison, femme, reprit Panza, et quant à présent soyez contente; car, si Dieu permet que nous nous mettions une autre fois en voyage pour chercher des aventures, vous me verrez bientôt revenir comte, ou gouverneur d'une île, et non de la première venue, mais de la meilleure qui se puisse rencontrer.»

«Que le ciel y consente, mari», répondit la femme, «car nous en avons grand besoin. Mais, dites-moi, qu'est-ce que c'est que ça, des îles? Je n'y entends rien.»

«Le miel n'est pas pour la bouche de l'âne», répliqua Sancho, «au temps venu, tu le verras, femme, et même tu seras bien étonnée de t'entendre appeler Votre Seigneurie par tous tes vassaux.»

«Que dites-vous là, Sancho, de vassaux, d'îles et de seigneuries?» reprit Juana Panza.

«Ne te presse pas tant, Juana, de savoir tout cela d'un seul coup. Il suffit que je te dise la vérité, et bouche close. Seulement je veux bien te dire, comme en passant, qu'il n'y a rien pour un homme de plus délectable au monde que d'être l'honnête écuyer d'un chevalier errant chercheur d'aventures. Il est bien vrai que la plupart de celles qu'on trouve ne tournent pas si plaisamment que l'homme voudrait; car, sur un cent que l'on rencontre en chemin, il y en a régulièrement quatre-vingt-dix-neuf qui tournent de travers. Mais, avec tout cela, c'est une jolie chose que d'attendre les aventures, en traversant les montagnes, en fouillant les forêts ou en grimpant sur les rochers.»

Pendant que ces entretiens occupaient Sancho Panza et Juana Panza sa femme, la gouvernante et la nièce de don Quichotte reçurent le chevalier, le déshabillèrent et l'étendirent dans son antique lit à ramages. Le curé chargea la nièce d'avoir grand soin de choyer son oncle ; et, lui recommanda d'être sur le qui-vive, de peur qu'il ne leur échappât une autre fois. Les deux femmes demeurèrent fort inquiètes et fort troublées par la crainte de se voir encore privées de leur oncle et seigneur dès que sa santé serait un peu rétablie ; et c'est ce qui arriva justement comme elles l'avaient imaginé.

Chapitre 26

De la manière dont le curé et le barbier se conduisirent avec don Quichotte au sujet de sa maladie.

Le curé et le barbier demeurèrent presque un mois sans voir don Quichotte, afin de ne pas lui rappeler le souvenir des choses passées. Toutefois, ils ne manquèrent pas de visiter sa nièce et sa gouvernante pour leur recommander de le choyer avec grande attention. Elles répondirent qu'elles faisaient ainsi et continueraient à faire de même avec tout le soin, toute la bonne volonté possibles ; car elles commençaient à s'apercevoir que, par moments, leur seigneur témoignait qu'il avait entièrement recouvré l'usage de son bon sens. Cette nouvelle causa beaucoup de joie aux deux amis. Ils résolurent donc de lui rendre visite et de faire l'expérience de sa guérison, bien qu'ils tinssent pour impossible qu'elle fût complète. Ils se promirent également de ne toucher à aucun point de la chevalerie errante, pour ne pas courir le danger de découdre les points de sa blessure, qui était encore si fraîchement reprise.

Ils allèrent enfin le voir, et le trouvèrent assis sur son lit, enveloppé dans une camisole de serge verte et coiffé d'un bonnet de laine rouge de Tolède, avec un visage si sec, si enfumé qu'il semblait être devenu chair de momie. Don Quichotte leur fit très bon accueil ; et, quand ils s'informè-

rent de sa santé, il en rendit compte avec beaucoup de sens et d'élégantes expressions. La conversation prit son cours, et don Quichotte parla avec tant d'intelligence et d'esprit sur les diverses matières qu'on traita que les deux examinateurs furent convaincus qu'il avait recouvré toute sa santé et tout son jugement.

La nièce et la gouvernante étaient présentes à l'entretien, et, pleurant de joie, ne cessaient de rendre grâce à Dieu de ce qu'elles voyaient leur seigneur revenu à une si parfaite intelligence. Mais le curé, changeant son projet primitif, qui était de ne pas toucher à la corde de chevalerie, voulut rendre l'expérience complète et s'assurer si la guérison de don Quichotte était fausse ou véritable. Il vint donc, de fil en aiguille, à raconter quelques nouvelles qui arrivaient de la capitale. Entre autres choses, il dit qu'on tenait pour certain que le Turc descendait du Bosphore avec une flotte formidable. Sa Majesté avait fait mettre en défense les côtes de Naples, de Sicile et de Malte.

Don Quichotte répondit: «Sa Majesté agit en prudent capitaine lorsqu'elle met à temps ses États en sûreté, pour que l'ennemi ne les prenne pas au dépourvu. Mais si Sa Majesté acceptait mon avis, je lui conseillerais une mesure dont elle est certainement, à l'heure qu'il est, bien loin de se douter.»

A peine le curé eut-il entendu ces mots, qu'il dit en lui-même: «Que Dieu te tende la main, pauvre don Quichotte! Il me semble que tu te précipites du faîte élevé de ta folie au profond abîme de ta simplicité.»

«Sa Majesté», poursuivit don Quichotte, «n'a qu'à ordonner, par proclamation publique, qu'à un jour fixé, tous les chevaliers errants qui errent par l'Espagne se réunissent à sa cour; quand il n'en viendrait qu'une demi-douzaine, tel pourrait se trouver parmi eux qui suffirait seul pour détruire toute la puissance du Turc.» Tout à coup, ils entendirent la nièce et la gouvernante, qui avaient depuis quelques instants, quitté la conversation, jeter de grands cris dans la cour ; ils se levèrent, et coururent tous au bruit.

Chapitre 27

Qui traite du nouveau dialogue entre don Quichotte et Sancho Panza.

L'histoire raconte que les cris qu'entendirent don Quichotte, le curé et le barbier venaient de la nièce et de la gouvernante, lesquelles faisaient tout ce tapage en parlant à Sancho, qui voulait à toute force entrer voir son maître, tandis qu'elles lui défendaient la porte.

Quand ils se virent enfin seuls, don Quichotte déclara : «Dis-moi maintenant, ami Sancho, qu'est-ce qu'on dit de moi dans le pays ? En quelle opinion suis-je parmi le vulgaire, parmi les hidalgos, parmi les chevaliers ? Que dit-on de ma valeur, de mes exploits, de ma courtoisie ? Comment parle-t-on de la résolution que j'ai prise de ressusciter et de rendre au monde l'ordre oublié de la chevalerie errante ? Finalement, Sancho, je veux que tu me dises à ce propos tout ce qui est venu à tes oreilles, et cela sans ajouter au bien, sans ôter au mal la moindre chose. Il appartient à un loyal vassal de dire à son seigneur la vérité, de la lui montrer sous son véritable visage, sans que l'adulation l'augmente ou qu'un vain respect la diminue.»

«C'est ce que je ferai bien volontiers, mon seigneur», répondit Sancho, «à condition que Votre Grâce ne se fâchera pas de ce que je dirai, puisque vous voulez que je dise les choses toutes nues et sans autres habits que ceux qu'elles avaient en arrivant à ma connaissance.»

«Je ne me fâcherai d'aucune façon», répliqua don Quichotte, «tu peux, Sancho, parler librement sans nul détour.»

«Eh bien, la première chose que je dis», reprit Sancho, «c'est que le vulgaire vous tient pour radicalement fou, et moi pour non moins imbécile. Les hidalgos disent que Votre Grâce, sortant des limites de sa qualité, s'est approprié le *don* et s'est fait d'assaut gentilhomme avec quatre pieds de vigne, deux arpents de terre, un haillon par derrière et un autre par devant. Les gentilshommes disent qu'ils ne voudraient pas que les hidalgos vinssent se mêler à eux, principalement ces hidalgos bons pour être écuyers, qui noircissent leurs souliers à la fumée, et reprisent des bas noirs avec de la soie verte.»

«Cela», dit don Quichotte, «ne me regarde nullement; car je suis toujours proprement vêtu et n'ai jamais d'habits rapiécés; déchirés, ce serait possible, et plutôt par les armes que par le temps.»

«Quant à ce qui touche», continua Sancho, «à la valeur, à la courtoisie, aux exploits de Votre Grâce, enfin à votre affaire personnelle, il y a différentes opinions. Les uns disent: fou, mais amusant; d'autres: vaillant, mais peu chanceux; d'autres encore: courtois, mais assommant. Si Votre Grâce veut savoir tout au long ce qu'il y a au sujet des calomnies que l'on répand sur son compte, je m'en vais vous amener tout à l'heure quelqu'un qui vous les dira toutes. Hier soir, il nous est arrivé le fils de Bartolomé Carrasco, qui vient d'étudier à Salamanque, où on l'a fait bachelier; et, comme j'allais lui souhaiter la bienvenue, il me dit que l'histoire de Votre Grâce était déjà mise en livre, avec le titre de *l'Ingénieux hidalgo don Quichotte de la Manche*. Il dit aussi qu'il est fait mention de moi dans cette histoire, sous mon propre nom de Sancho Panza, et de Mme Dulcinée du Toboso, et d'autres choses qui se sont passées entre nous tête à tête, si bien que je fis des signes de croix comme un épouvanté en voyant comme l'historien qui les a écrites a pu les savoir.»

«Je t'assure, Sancho», dit don Quichotte, «que cet auteur de notre histoire doit être quelque sage enchanteur. A ces gens-là, rien n'est caché de ce qu'ils veulent écrire.»

«Pardieu! je le crois bien», s'écria Sancho, «qu'il était sage et enchanteur, puisque, à ce que dit le bachelier Samson Carrasco (c'est ainsi que s'appelle celui dont je viens de parler), l'auteur de l'histoire se nomme Cid Hamet Berengena.»

«C'est un nom moresque», répondit don Quichotte.

«Sans doute», répliqua Sancho, «car j'ai ouï dire que la plupart des Mores aiment beaucoup les aubergines.»

«Tu dois, Sancho, te tromper quant au surnom de ce Cid, mot qui, en arabe, veut dire seigneur.»

«C'est bien possible», repartit Sancho, «mais, si Votre Grâce désire que je lui amène ici le bachelier, j'irai le quérir à vol d'oiseau.»

«Tu me feras grand plaisir, mon ami», répondit don Quichotte.

«Eh bien! je cours le chercher», s'écria Sancho, et, laissant là son seigneur, il se mit en quête du bachelier, avec lequel il revint au bout de quelques instants. Alors entre les trois s'engagea le plus gracieux dialogue.

Chapitre 28

De la personnalité du bachelier Samson Carrasco et des préparatifs
de la troisième sortie de don Quichotte.

Le bachelier, bien qu'il s'appelât Samson, n'était pas fort
grand de taille; mais il était grandement sournois et rail-
leur. Il avait le teint blafard, en même temps que l'intelligence très éveillée. C'était un jeune homme d'environ
vingt-quatre ans, ayant la face ronde, le nez camard et la
bouche grande, signes évidents qu'il était d'humeur ma-
ligne et moqueuse, et fort enclin à se divertir aux dépens
du prochain: ce qu'il fit bien voir.

Dès qu'il aperçut don Quichotte, il alla se jeter à ses genoux en lui disant: «Que Votre Grandeur me donne ses
mains à baiser, seigneur don Quichotte de la Manche;
car, par l'habit de saint Pierre dont je suis revêtu, bien
que je n'aie reçu d'autres ordres que les quatre premiers,
je jure que Votre Grâce est un des plus fameux chevaliers
errants qu'il y ait eus et qu'il y aura sur toute la surface de
la terre. Honneur à Cid Hamet Ben-Engeli, qui a couché
par écrit l'histoire de vos grandes prouesses; et dix fois
honneur au curieux éclairé qui a pris soin de la faire tra-
duire de l'arabe en notre castillan vulgaire, pour l'univer-
sel amusement de tout le monde!»

Don Quichotte le fit lever, et lui dit: «De cette manière,
il est donc bien vrai qu'on a fait une histoire de moi, et
que c'est un enchanteur more qui l'a composée?»

«Cela est si vrai, seigneur», reprit Samson, «que je
tiens pour certain qu'au jour d'aujourd'hui on a imprimé
plus de douze mille exemplaires de cette histoire. Sinon
qu'on la demande à Lisbonne, à Barcelone, à Valence, où
les éditions se sont faites, et l'on dit même qu'elle s'im-

prime maintenant à Anvers. Quant à moi, j'imagine qu'il n'y aura bientôt ni peuple ni langue où l'on n'en fasse la traduction. Votre Grâce emporte la palme sur tous les chevaliers errants, car le More dans sa langue et le chrétien dans la sienne ont eu soin de peindre au naturel la

gentillesse de votre personne, votre hardiesse en face du péril, votre fermeté dans les revers, votre patience contre les disgrâces et les blessures, enfin la chasteté de vos amours platoniques avec Mme doña Dulcinée du Tobo-so. »

« Mais dites-moi, seigneur bachelier », ajouta don Quichotte, « quels sont ceux de mes exploits qu'on vante le plus dans cette histoire ? »

« Sur ce point », répondit le bachelier, « il y a différentes opinions, comme il y a différents goûts. Les uns s'en tiennent à l'aventure des moulins à vent ; d'autres préfèrent la description des deux armées, qui semblèrent ensuite deux troupeaux de moutons ; l'un dit que tout est surpassé par la délivrance des galériens ; l'autre, que rien n'égale la victoire sur les deux géants bénédictins, et la bataille contre le valeureux Biscayen. »

A peine le bachelier achevait-il ces paroles qu'on entendit les hennissements de Rossinante. Don Quichotte les tint à heureux augure, et résolut de faire une autre sortie d'ici à trois ou quatre jours. Il confia son dessein au bachelier et lui demanda conseil pour savoir de quel côté devait commencer sa campagne. L'autre répondit qu'à son avis il ferait bien de gagner le royaume d'Aragon, et de se rendre à la ville de Saragosse, où devaient avoir lieu, sous peu de jours, des joutes solennelles pour la fête de saint Georges, dans lesquelles il pourrait gagner renom pardessus tous les chevaliers aragonais, ce qui serait le gagner par-dessus tous les chevaliers du monde.

Ils demeurèrent d'accord sur ce point, et fixèrent le départ à huit jours de là. Don Quichotte recommanda au bachelier de tenir cette nouvelle secrète et de la cacher surtout au curé, à maître Nicolas, à sa nièce et à sa gouvernante, afin qu'ils ne vinssent pas se mettre à la traverse de sa louable et valeureuse résolution. Carrasco le promit et prit congé de don Quichotte, en le chargeant de l'aviser, quand il en aurait l'occasion, de sa bonne ou mauvaise fortune; sur cela, ils se séparèrent, et Sancho alla faire les préparatifs de leur nouvelle campagne.

Chapitre 29

Où l'on voit notre chevalier faire son entrée au Toboso.

Sur l'avis et de l'agrément du grand Carrasco, qui était devenu leur oracle, il fut décidé qu'ils partiraient sous trois jours. Ce temps suffisait pour se munir de toutes les choses nécessaires au voyage, et pour chercher une salade à visière; car don Quichotte voulait absolument en porter une.

Les malédictions que donnèrent au bachelier la gouvernante et la nièce furent sans mesure et sans nombre. Elles s'arrachèrent les cheveux, s'égratignèrent le visage, et, à la façon des pleureuses qu'on louait pour les enterrements, elles se lamentaient sur le départ de leur seigneur, comme si c'eût été sur sa mort. Le projet qu'avait Samson, en lui persuadant de se mettre encore une fois en campagne, était de faire ce que l'histoire rapportera plus loin; tout cela sur le conseil du curé et du barbier, avec lesquels il s'était consulté d'abord. Enfin, pendant ces trois jours, don Quichotte et Sancho se pourvurent de ce qui leur sembla convenable; puis, ayant apaisé, Sancho sa femme, don Quichotte sa gouvernante et sa nièce, un beau soir, sans que personne les vît, sinon le bachelier, qui voulut les accompagner à une demi-lieue du village, ils prirent le chemin du Toboso, don Quichotte sur son bon cheval Rossinante, Sancho sur son ancien grison, le bissac bien fourni de provisions touchant la bucolique, et la bourse pleine de l'argent que lui avait donné don Quichotte pour ce qui pouvait arriver. Samson embrassa le chevalier et le supplia de lui faire savoir sa bonne ou sa mauvaise fortune, pour s'attrister de l'une et se réjouir de l'autre, comme l'exigeaient les lois de leur amitié. Don Quichotte lui en ayant fait la promesse, Samson prit la route de son village, et les deux autres celle de la grande ville du Toboso. Le second jour, à l'entrée de la nuit, ils découvrirent la grande cité du Toboso. Cette vue réjouit l'âme de don Quichotte et attrista celle de Sancho, car il ne connaissait pas la maison de Dulcinée, et n'avait vu la dame de sa vie, pas plus que son seigneur, de façon que, l'un pour la voir, et l'autre pour ne l'avoir pas vue, ils étaient tous deux inquiets et agités. Finalement, don Quichotte résolut de n'entrer dans la ville qu'à la nuit close. En attendant l'heure, ils restèrent cachés dans un bouquet de chênes qui était proche.

Il était tout juste minuit, ou à peu près, quand don Quichotte et Sancho quittèrent leur petit bois et entrèrent dans le Toboso. Le village était enseveli dans le repos et le silence, car tous les habitants dormaient comme des souches. La lune se trouvait être à demi claire. On n'entendait dans tout le pays que des aboiements de chiens qui assourdissaient don Quichotte et troublaient le cœur de Sancho. De temps en temps, un âne se mettait à braire, des cochons à grogner, des chats à miauler, et tous les bruits de ces voix différentes s'augmentaient par le silence de la nuit.

L'amoureux chevalier dit à Sancho: «Conduis-nous au palais de Dulcinée, mon fils Sancho; peut-être la trouverons-nous encore éveillée.»

« A quel diable de palais faut-il vous conduire ? » s'écria Sancho ; « celui où j'ai vu Sa Grandeur n'était qu'une très petite maison. »

« Sans doute », reprit don Quichotte, « elle s'était retirée dans quelque petit appartement de son alcazar, pour s'y récréer dans la solitude avec ses femmes, comme c'est l'usage et la coutume des hautes dames et des princesses. »

« Seigneur », dit Sancho, « puisque Votre Grâce veut à toute force que la maison de Mme Dulcinée soit un alcazar, dites-moi, est-ce l'heure d'en trouver la porte ouverte ? »

« Trouvons d'abord l'alcazar », répliqua don Quichotte ; « mais, tiens, ou je ne vois guère, ou cette masse qui donne cette grande ombre qu'on aperçoit là-bas doit être le palais de Dulcinée. »

« Eh bien, que Votre Grâce nous mène », répondit Sancho ; « peut-être en sera-t-il ainsi. »

Don Quichotte marcha devant, et, quand il eut fait environ deux cents pas, il trouva la masse qui projetait la grande ombre. Il vit une haute tour et reconnut aussitôt que cet édifice n'était pas un alcazar, mais bien l'église paroissiale du pays.

« C'est l'église, Sancho », dit-il, « que nous avons rencontrée. »

Sancho, vit que son maître était indécis et fort peu content. « Seigneur », lui dit-il, « il vaut mieux que nous sortions de la ville et que Votre Grâce s'embusque dans quelque bois près d'ici. Je reviendrai de jour et je ne laisserai pas un recoin dans le pays où je ne cherche le palais ou l'alcazar de ma dame. Je serais bien malheureux si je ne le trouvais pas ; et quand je l'aurai trouvé, je parlerai à Sa Grâce, et je lui dirai où et comment vous attendez qu'elle arrange et règle de quelle façon vous pouvez la voir sans détriment de son honneur et de sa réputation.»

«Je reçois et j'accepte de bon cœur le conseil que tu viens de me donner», s'écria don Quichotte. «Viens, mon fils, allons chercher un endroit où je m'embusque.»

A deux milles environ, ils trouvèrent un petit bois où don Quichotte s'arrêta pendant que Sancho retournait à la ville.

Chapitre 30

Qui traite du stratagème employé par Sancho Panza.

Sancho s'éloignait de son seigneur non moins pensif et troublé qu'il ne le laissait; tellement qu'à peine hors du bois il tourna la tête et, voyant que don Quichotte n'était plus en vue, il descendit de son âne, s'assit au pied d'un arbre et commença de la sorte à se parler à lui-même: «Pardieu, tous les maux ont leur remède, si ce n'est la mort, sous le joug de laquelle nous devons tous passer, quelque dépit que nous en ayons, à la fin de la vie. Mon maître, à ce que j'ai vu dans mille occasions, est un fou à lier, et franchement, je ne suis guère en reste avec lui; au contraire, je suis encore plus imbécile, puisque je l'accompagne et le sers, s'il faut croire au proverbe qui dit: Dis-moi qui tu hantes et je te dirai qui tu es. Eh bien, puisqu'il est fou, et d'une folie qui lui fait la plupart du temps prendre une chose pour l'autre, le blanc pour le noir et le noir pour le blanc, comme il le fit voir quand il prétendit que les moulins à vent étaient des géants aux grands bras, les troupeaux de moutons des armées ennemies, ainsi que bien d'autres choses de la même force, il ne me sera pas difficile de lui faire accroire qu'une paysanne, la première que je trouverai par ici sous ma main, est Mme Dulcinée. S'il ne le croit pas, j'en jurerai; s'il en jure aussi, j'en jurerai plus fort, et s'il s'opiniâtre, je n'en démordrai pas : de cette manière, j'aurai toujours ma main par-dessus la sienne, advienne que pourra.»

Sur cette pensée, Sancho Panza se remit l'esprit en repos et tint son affaire pour heureusement conclue. Il resta couché sous son arbre jusqu'au tantôt, pour laisser croire à don Quichotte qu'il avait eu le temps d'aller et de revenir. Tout se passa si bien que, lorsqu'il se leva pour remonter sur le grison, il aperçut venir du Toboso trois paysannes, montées sur trois bourriques. Dès que Sancho vit les paysannes, il revint au trot chercher son seigneur don Quichotte, qu'il trouva jetant des soupirs au vent et faisant mille lamentations amoureuses.

Aussitôt que don Quichotte l'aperçut, il lui dit : «Qu'y a-t-il, ami Sancho? Pourrai-je marquer ce jour avec une pierre blanche ou avec une pierre noire?»

«Vous n'avez rien de mieux à faire», répliqua Sancho, «que d'éperonner Rossinante et de sortir en rase campagne pour voir Mme Dulcinée du Toboso, qui vient avec deux de ses femmes rendre visite à Votre Grâce.»

«Sainte Vierge!» s'écria don Quichotte ; «qu'est-ce que tu dis, ami Sancho? Ah! je t'en conjure, ne me trompe pas, et ne cherche point par de fausses joies à réjouir mes véritables tristesses.»

«Qu'est-ce que je gagnerais à vous tromper», répliqua Sancho, «surtout quand vous seriez si près de découvrir mon mensonge? Donnez de l'éperon, seigneur, et venez avec moi, et vous verrez venir notre maîtresse la princesse, vêtue et parée comme il lui convient. Elle et ses femmes, voyez-vous, ce n'est qu'une châsse d'or, que des épis de perles, que des diamants, des rubis, des toiles de brocart à dix étages de haut. Les cheveux leur tombent sur les épaules, si bien qu'on dirait autant de rayons de soleil qui s'amusent à jouer avec le vent. Et par-dessus tout, elles sont à cheval sur trois cananées pies qui font plaisir à regarder.»

«Haquenées, tu as voulu dire, Sancho?» dit don Quichotte.

Chapitre 31

De la rencontre tant attendue entre don Quichotte et Dulcinée.

Ils sortirent du bois et découvrirent tout près d'eux les trois villageoises. Don Quichotte étendit les regards sur toute la longueur du chemin du Toboso; mais, ne voyant que ces trois paysannes, il se troubla et demanda à Sancho s'il avait laissé ces dames hors de la ville.

«Comment, hors de la ville?» s'écria Sancho. «Ne voyez-vous pas celles qui viennent à nous, resplendissantes comme le soleil en plein midi?»

«Je ne vois, Sancho», répondit don Quichotte, «que trois paysannes sur trois bourriques.»

«A présent, que Dieu me délivre du diable!» reprit Sancho; «est-il possible que trois hacanées, ou comme on les appelle, aussi blanches que la neige, vous semblent des bourriques? Vive le Seigneur! je m'arracherais la barbe si c'était vrai.»

«Eh bien, je t'assure, ami Sancho», répliqua don Quichotte, «qu'il est aussi vrai que ce sont des bourriques ou des ânes que je suis don Quichotte et toi Sancho Panza. Du moins ils me semblent tels.»

«Taisez-vous, Seigneur», s'écria Sancho Panza, «ne dites pas une chose pareille, mais frottez-vous les yeux et venez faire la révérence à la dame de vos pensées, que voilà près de nous.»

A ces mots, il s'avança pour recevoir les trois villageoises, et, sautant à bas du grison, il prit au licou l'âne de la première; puis, se mettant à deux genoux par terre, il s'écria: «Reine, princesse et duchesse de la beauté, que votre hautaine Grandeur ait la bonté d'admettre en grâce et d'accueillir avec faveur ce chevalier, votre captif, qui est là comme une statue de pierre, tout troublé, pâle et sans haleine de se voir en votre magnifique présence. Je suis Sancho Panza, son écuyer; et lui, c'est le fugitif et vagabond chevalier don Quichotte de la Manche, appelé de son autre nom *chevalier de la Triste-Figure.*»

En cet instant, don Quichotte s'était déjà jeté à genoux aux côtés de Sancho, et regardait avec des yeux hagards et troublés celle que Sancho appelait reine et madame. Et, comme il ne découvrait en elle qu'une fille de village, encore d'assez pauvre mine, car elle avait la face bouffie et le nez camard, il demeurait stupéfait, sans oser découdre la bouche. Les paysannes n'étaient pas moins émerveillées, en voyant ces deux hommes, de si différent aspect, agenouillés sur la route, et qui ne laissaient point passer leur compagne.

Mais celle-ci, rompant le silence, et d'une mine toute rechignée: «Gare du chemin, à la male heure», dit-elle, «et laissez-nous passer, que nous sommes pressées.»

«O princesse!» répondit Sancho Panza, «ô dame universelle du Toboso! Comment! votre cœur magnanime ne s'attendrit pas en voyant agenouillé devant votre sublime présence la colonne et la gloire de la chevalerie errante?»

L'une des deux autres, entendant ce propos: «Ohé!» dit-elle, «ohé! viens donc que je te torche, bourrique du beau-père. Voyez un peu comme ces muscadins viennent se gausser des villageoises, comme si nous savions aussi bien chanter pouille qu'eux autres. Passez votre chemin, et laissez-nous passer le nôtre, si vous ne voulez qu'il vous en cuise.»

«Lève-toi, Sancho», dit aussi don Quichotte, «car je vois que la fortune, qui ne se rassasie pas de mon malheur, a fermé tous les chemins par où pouvait venir quelque joie à cette âme chétive que je porte en ma chair. Et toi, ô divin extrême de tous les mérites, terme de l'humaine gentillesse, remède unique de ce cœur affligé qui t'adore! puisque le malin enchanteur qui me poursuit a jeté sur mes yeux des nuages et des cataractes, et que pour eux, mais non pour d'autres, il a transformé ta beauté sans égale et ta figure céleste en celle d'une pauvre paysanne, pourvu qu'il n'ait pas aussi métamorphosé mon visage en museau de quelque vampire pour le rendre horrible à tes yeux, oh! ne cesse point de me regarder avec douceur, avec amour, en voyant dans ma soumission, dans mon agenouillement devant ta beauté contrefaite, avec quelle humilité mon âme t'adore et se confond avec toi.»

«Holà! vous me la baillez belle», répondit la villageoise, «et je suis joliment bonne pour les cajoleries. Gare, encore une fois, et laissez-nous passer, nous vous en serons bien obligées.»

Sancho se détourna et la laissa partir, enchanté d'avoir si bien conduit sa fourberie. A peine la villageoise qui avait le rôle de Dulcinée se vit-elle libre qu'elle piqua sa cananée avec un clou qu'elle avait au bout d'un bâton et se mit à courir le long du pré, l'espace d'une grande demi-lieue.

Chapitre 32

De l'étrange aventure qui arriva au valeureux don Quichotte
avec le brave chevalier des Miroirs.

Don Quichotte s'en allait tout pensif le long de son chemin, préoccupé de la mauvaise plaisanterie que lui avaient faite les enchanteurs en transformant sa dame en une paysanne de méchante mine. La nuit suivante don Quichotte et son écuyer la passèrent sous de grands arbres touffus, et, d'après le conseil de Sancho, don Quichotte mangea des provisions de bouche que portait le grison.

Finalement, Sancho se laissa tomber endormi au pied d'un liège, et don Quichotte s'étendit sous un robuste chêne. Il y avait peu de temps encore qu'il sommeillait, quand il fut éveillé par un bruit qui se fit entendre derrière sa tête. Se levant en sursaut, il se mit à regarder et à écouter d'où venait le bruit. Il aperçut deux hommes à cheval, et entendit que l'un d'eux, se laissant glisser de la selle, dit à l'autre: «Mets pied à terre, ami, et détache la bride aux chevaux; ce lieu, à ce qu'il me semble, abonde aussi bien en herbe pour eux qu'en solitude et en silence pour mes amoureuses pensées.»

Dire ce peu de mots et s'étendre par terre fut l'affaire du même instant; et, quand l'inconnu se coucha, il fit résonner les armes dont il était couvert. A ce signe manifeste, don Quichotte reconnut que c'était un chevalier errant. S'approchant de Sancho, qui dormait encore, il le secoua par le bras et, non sans peine, il lui fit ouvrir les yeux; puis il dit à voix basse: «Sancho, mon frère, nous tenons une aventure.»

«Dieu nous l'envoie bonne!» répondit Sancho, «mais où est, seigneur, Sa Grâce Mme l'Aventure?»

«Où, Sancho!» répliqua don Quichotte, «tourne les yeux, et regarde par là: tu y verras étendu par terre un chevalier errant, qui, à ce que je m'imagine, ne doit pas être trop joyeux, car je l'ai vu se jeter à bas de cheval et se coucher par terre avec quelques marques de chagrin, et, quand il est tombé, j'ai entendu résonner ses armes. Mais chut! écoutons: il me semble qu'il accorde un luth ou une mandoline, et, à la manière dont il crache et se nettoie la poitrine, il doit se préparer à chanter quelque chose.» Sancho voulait répliquer à son maître; mais il en fut empêché par la voix du chevalier du Bocage, qui n'était ni bonne ni mauvaise. Ils prêtèrent tous deux attention et l'entendirent chanter ce qui suit:

«Donnez-moi, madame, une ligne à suivre, tracée suivant votre volonté; la mienne s'y conformera tellement que jamais elle ne s'en écartera d'un point.

Si vous voulez que, taisant mon martyre, je meure, comptez-moi déjà pour trépassé.

Je suis devenu à l'épreuve des contraires, de cire molle et de dur diamant, et aux lois de l'amour mon âme se résigne.

Mol ou dur, je vous offre mon cœur; taillez ou gravez-y ce qui vous fera plaisir: je jure de le garder éternellement.»

Avec un *hélas!* qui semblait arraché du fond de ses entrailles, le chevalier du Bocage termina son chant; puis, après un court intervalle, il s'écria d'une voix dolente et plaintive: «O la plus belle et la plus ingrate des femmes de l'univers? Comment est-il possible, sérénissime Cassildée de Vandalie, que tu consentes à user et à faire périr en de continuels pèlerinages, en d'âpres et pénibles travaux, ce chevalier ton captif? N'est-ce pas assez que j'aie fait confesser que tu étais la plus belle du monde à tous les chevaliers de la Navarre, à tous les Léonères, à tous les Tartésiens, à tous les Castillans, et finalement à tous les chevaliers de la Manche?»

«Oh! pour cela non», s'écria don Quichotte, «car je suis de la Manche et jamais je n'ai rien confessé de semblable, et je n'aurais pu ni dû confesser une chose aussi préjudiciable à la beauté de ma dame.»

Le chevalier du Bocage, ayant entr'ouï qu'on parlait à ses côtés, interrompit ses lamentations et, se levant debout, dit d'une voix sonore et polie: «Qui est là? Quelles gens y a-t-il? Est-ce par hasard du nombre des heureux ou du nombre des affligés?»

«Des affligés», répondit don Quichotte.

«Eh bien! venez à moi», reprit le chevalier du Bocage, «et vous pouvez compter que vous approchez de l'affliction même et de la tristesse en personne.»

Don Quichotte, qui s'entendit répondre avec tant de sensibilité et de courtoisie, s'approcha de l'inconnu, et Sancho fit de même. Le chevalier aux lamentations saisit don Quichotte par le bras: «Asseyez-vous, seigneur chevalier», lui dit-il, «car, pour deviner que vous l'êtes, et de ceux qui professent la chevalerie errante, il me suffit de vous avoir trouvé dans cet endroit.»

Don Quichotte répondit: «Je suis chevalier, en effet, de la profession que vous dites, et, quoique les chagrins et les disgrâces aient fixé leur séjour dans mon âme, cependant ils n'en ont pas chassé la compassion que je porte aux malheurs d'autrui. De ce que vous chantiez tout à l'heure, j'ai compris que les vôtres sont amoureux, je veux dire nés de l'amour que vous portez à cette belle ingrate dont le nom vous est échappé dans vos plaintes.»

Chapitre 33

Parmi bien des propos qu'échangèrent don Quichotte et le chevalier de la Forêt, l'histoire raconte que celui-ci dit à don Quichotte: «Finalement, seigneur chevalier, je veux vous apprendre que ma destinée, ou mon choix pour mieux dire, m'a enflammé d'amour pour la sans pareille Cassildée de Vandalie, je l'appelle sans pareille parce qu'elle n'en a point, ni pour la grandeur de la taille, ni pour la perfection de la beauté. Eh bien, cette Cassildée, dont je vous fais l'éloge, a payé mes honnêtes pensées et mes courtois désirs en m'exposant, comme la marâtre d'Hercule, à une foule de périls, me promettant, à la fin de chacun d'eux, qu'à la fin de l'autre arriverait le terme de mes espérances. Mais ainsi mes travaux ont été si bien s'enchaînant l'un à l'autre qu'ils sont devenus innombrables, et je ne sais quand viendra le dernier pour donner ouverture à l'accomplissement de mes chastes désirs. Une fois, elle m'a commandé de combattre en champ clos la fameuse géante de Séville, appelée la Giralda. Une autre fois, elle m'ordonna d'aller prendre et peser les antiques pierres des formidables taureaux de Guisando. Une autre fois encore, elle me commanda de me précipiter dans la caverne de Cabra; péril inouï, épouvantable! et de lui rapporter une relation détaillée de ce que renferme cet obscur et profond abîme. A la fin, elle m'a dernièrement ordonné de parcourir toutes les provinces d'Espagne, pour faire confesser à tous les chevaliers errants qui vaguent par ce royaume qu'elle est la plus belle de toutes les belles qui vivent actuellement, et que je suis le plus vaillant et le plus amoureux chevalier du monde.

Dans cette entreprise, j'ai couru déjà la moitié de l'Espagne, et j'y ai vaincu bon nombre de chevaliers qui avaient osé me contredire; mais l'exploit dont je m'enorgueillis par-dessus tout, c'est d'avoir vaincu en combat singulier ce fameux chevalier don Quichotte de la Manche, et de lui avoir fait avouer que ma Cassildée de Vandalie est plus belle que sa Dulcinée du Toboso. Par cette seule victoire, je compte avoir vaincu tous les chevaliers du monde, car ce don Quichotte, dont je parle, les a vaincus tous, et, puisqu'à mon tour je l'ai vaincu, sa gloire, sa renommée, son honneur ont passé en ma possession.»

Don Quichotte resta stupéfait d'entendre ainsi parler le chevalier du Bocage, et lui dit donc avec beaucoup de calme: «Que Votre Grâce, seigneur chevalier, ait vaincu la plupart des chevaliers errants d'Espagne, et même du monde entier, à cela je n'ai rien à dire; mais que vous ayez vaincu don Quichotte de la Manche, c'est là ce que je mets en doute. Il pourrait se faire que ce fût un autre qui lui ressemblât, bien que cependant peu de gens lui ressemblent.»

«Comment, non! répliqua le chevalier du Bocage; par le ciel qui nous couvre! j'ai combattu contre don Quichotte, je l'ai vaincu, je l'ai fait rendre à merci. c'est un homme haut de taille, sec de visage, long de membres, ayant le teint jaune, les cheveux grisonnants, le nez aquilin et un peu courbe, les moustaches grandes, noires et tombantes. Il fait la guerre sous le nom de chevalier de la Triste-Figure, et mène pour écuyer un paysan qui s'appelle Sancho Panza. Il presse les flancs et dirige le frein d'un fameux coursier nommé Rossinante, et finalement il a pour dame de sa volonté une certaine Dulcinée du Toboso, appelée dans le temps Aldonza Lorenzo, tout comme la mienne, que j'appelle Cassildée de Vandalie, parce qu'elle a nom Cassilda et qu'elle est Andalouse. Maintenant, si tous ces indices ne suffisent pas pour donner crédit à ma véracité, voici mon épée qui saura bien me faire rendre justice de l'incrédulité même.»

«Calmez-vous, seigneur chevalier», reprit don Quichotte, «et écoutez ce que je veux vous dire. Il faut que vous sachiez que ce don Quichotte est le meilleur ami que j'aie au monde, tellement que je puis dire qu'il m'est aussi cher que moi-même. Par le signalement que vous m'avez donné de lui, si ponctuel et si véritable, je suis forcé de croire que c'est lui-même que vous avez vaincu. D'un autre côté, je vois avec les yeux et je touche avec les mains qu'il est impossible que ce soit lui; à moins toutefois que, comme il a beaucoup d'ennemis parmi les enchanteurs, un notamment qui le persécute d'ordinaire, quelqu'un n'ait pris sa figure pour se laisser vaincre, pour lui enlever la renommée que ses hautes prouesses de chevalerie lui ont acquise sur toute la face de la terre. Mais si tout cela ne suffit pas pour vous convaincre de la vérité de ce que je vous dis, voici don Quichotte lui-même, qui la soutiendra les armes à la main, à pied ou à cheval, ou de toute autre manière qui vous conviendra.»

A ces mots, il se leva tout debout, et, saisissant la garde de son épée, il attendit quelle résolution prendrait le chevalier du Bocage.

Chapitre 34

Comment don Quichotte vainquit son adversaire.

Celui-ci répondit d'une voix tranquille: «Comme il n'est pas convenable que les chevaliers accomplissent leurs faits d'armes en cachette ou dans la nuit, ainsi que des brigands ou des souteneurs de mauvais lieux, attendons le jour pour que le soleil éclaire nos œuvres. La condition de notre bataille sera que le vaincu reste à la merci du vainqueur, pour que celui-ci fasse de l'autre tout ce qu'il lui plaira, pourvu toutefois qu'il soit décemment permis à un chevalier de s'y soumettre.»

«Je suis plus que satisfait», répondit don Quichotte, «de cette condition et de cet arrangement.»

Cela dit, ils allèrent chercher leurs écuyers, qu'ils trouvèrent dormant et ronflant, dans la même posture que celle qu'ils avaient quand le sommeil les surprit. Ils les éveillèrent et leur commandèrent de tenir leurs chevaux prêts, parce qu'au lever du soleil ils devaient se livrer ensemble un combat singulier, sanglant et formidable. A ces nouvelles, Sancho frissonna de surprise et de peur, tremblant pour le salut de son maître, à cause des actions de bravoure qu'il avait entendu conter du sien par l'écuyer du Bocage. Cependant, et sans mot dire, les deux écuyers s'en allèrent chercher leur troupeau de bêtes, car les trois chevaux et l'âne, après s'être flairés, paissaient tous ensemble.

A peine la clarté du jour eut-elle permis d'apercevoir et de discerner les objets, que don Quichotte regarda son adversaire; mais celui-ci avait déjà mis sa salade et baissé sa visière, de façon qu'il ne put voir son visage; seulement il remarqua que c'était un homme bien membré, et non de très haute taille. L'inconnu portait sur ses armes une courte tunique d'une étoffe qui semblait faite de fils d'or, toute parsemée de brillants miroirs en forme de petites lunes, et ce riche costume lui donnait une élégance toute particulière. Sur le cimier de son casque voltigeaient une grande quantité de plumes vertes, jaunes et blanches, et sa lance, qu'il avait appuyée contre un arbre, était très haute, très grosse et terminée par une pointe d'acier d'un palme de long.

Don Quichotte remarqua tous ces détails et en tira la conséquence que l'inconnu devait être un chevalier de grande force. Cependant il ne fut pas glacé de crainte comme Sancho Panza ; au contraire, il dit d'un ton dégagé au chevalier des Miroirs : « Si le grand désir d'en venir aux mains, seigneur chevalier, n'altère pas votre courtoisie, je vous prie en son nom de lever un peu votre visière, pour que je voie si la beauté de votre visage répond à l'élégance de votre ajustement. »

« Vainqueur ou vaincu, seigneur chevalier », répondit celui des Miroirs, « vous aurez du temps de reste pour voir ma figure ; et si je refuse maintenant de satisfaire à votre désir, c'est parce qu'il me semble que je fais une notable injure à la belle Cassildée de Vandalie en tardant, seulement le temps de lever ma visière, à vous faire confesser ce que vous savez bien. »

« Mais du moins », reprit don Quichotte, « pendant que nous montons à cheval, vous pouvez bien me dire si je suis ce même don Quichotte que vous prétendez avoir vaincu. »

« A cela nous vous répondrons », reprit le chevalier des Miroirs, « que vous lui ressemblez comme un œuf ressemble à un autre ; mais, puisque vous assurez que des enchanteurs vous persécutent, je n'oserais affirmer si vous êtes ou non le même en son contenu.»

«Cela me suffit, à moi», répondit don Quichotte, «pour que je croie à l'erreur où vous êtes; mais pour vous en tirer entièrement, qu'on amène nos chevaux. En moins de temps que vous n'en auriez mis à lever votre visière, je verrai votre visage, et vous verrez que je ne suis pas le don Quichotte que vous pensez avoir vaincu.»

Coupant ainsi brusquement l'entretien, ils montèrent à cheval, et don Quichotte fit tourner bride à Rossinante afin de prendre le champ nécessaire pour revenir à la rencontre de son ennemi, qui faisait la même chose. Sancho dit à don Quichotte: «Je supplie Votre Grâce de vouloir bien, avant de retourner à l'attaque, m'aider à monter sur ce liège, d'où je pourrai voir plus à mon aise que par terre la gaillarde rencontre que vous allez faire avec ce chevalier.»

«Viens, je vais t'aider à monter où tu veux», répondit son maître.

Pendant que don Quichotte s'arrêtait pour faire grimper Sancho sur le liège, le chevalier des Miroirs avait pris tout le champ nécessaire et, croyant que don Quichotte en aurait fait de même, sans attendre son de trompette ni autre signal d'attaque, il avait fait tourner bride à son cheval, lequel n'était ni plus léger ni de meilleure mine que Rossinante; puis, à toute sa course, qui n'était qu'un petit trot, il revenait à la rencontre de son ennemi. Mais, le voyant occupé à faire monter Sancho sur l'arbre, il retint la bride et s'arrêta au milieu de la carrière, chose dont son cheval lui fut très reconnaissant, car il ne pouvait déjà plus remuer. Don Quichotte, qui crut que son adversaire fondait comme un foudre sur lui, enfonça vigoureusement les éperons dans les flancs efflanqués de Rossinante, et le fit détaler de telle sorte que, si l'on en croit l'histoire, ce fut la seule fois où l'on put reconnaître qu'il avait quelque peu galopé, car jusque-là ses plus brillantes courses n'avaient été que de simples trots. Avec cette furie inaccoutumée, don Quichotte s'élança sur le chevalier des Miroirs, qui enfonçait les éperons dans le ventre de son cheval jusqu'aux talons, sans pouvoir le faire avancer d'un doigt de l'endroit où il s'était comme ancré au milieu de sa course. Ce fut dans cette favorable conjoncture que don Quichotte surprit son adversaire, lequel, empêtré de son cheval et embarrassé de sa lance, ne put jamais venir à bout de la mettre seulement en arrêt. Don Quichotte, qui ne regardait pas de si près à ces inconvénients, vint en toute sûreté, et sans aucun risque, heurter le chevalier des Miroirs, et ce fut avec tant de vigueur qu'il le fit, bien malgré lui, rouler à terre par-dessus la croupe de son cheval. La chute fut si lourde que l'inconnu, ne remuant plus ni bras ni jambe, parut avoir été tué sur le coup.

Chapitre 35

Où l'on raconte et l'on explique
qui étaient le chevalier des Miroirs et son écuyer.

A peine Sancho le vit-il en bas qu'il se laissa glisser de son arbre et vint rejoindre son maître. Celui-ci, ayant mis pied à terre, s'était jeté sur le chevalier des Miroirs, et, lui détachant les courroies de l'armet pour voir s'il était mort, et pour lui donner de l'air si par hasard il était encore vivant, il aperçut... qui pourra dire ce qu'il aperçut, sans frapper d'étonnement, d'admiration et de stupeur ceux qui l'entendront? Il vit, dit l'histoire, il vit le visage même, la figure, l'aspect, la physionomie, l'effigie et la perspective du bachelier Samson Carrasco. A cette vue, il appela Sancho de toutes ses forces: «Accours, Sancho», s'écria-t-il, «viens voir ce que tu verras sans y croire. Dépêche-toi, mon enfant, et regarde ce que peut la magie, ce que peuvent les sorciers et les enchanteurs.»

Sancho s'approcha, et, quand il vit la figure du bachelier Carrasco, il commença à faire mille signes de croix et à réciter autant d'oraisons.

En ce moment le chevalier des Miroirs revint à lui, et don Quichotte, s'apercevant qu'il remuait, lui mit la pointe de l'épée entre les deux yeux, et lui dit: «Vous êtes mort, chevalier, si vous ne confessez que la sans pareille Dulcinée du Toboso l'emporte en beauté sur votre Cassildée de Vandalie. En outre, il faut que vous promettiez, si de cette bataille et de cette chute vous restez vivant, d'aller à la ville du Toboso et de vous présenter de ma part en sa présence, pour qu'elle fasse de vous ce qu'ordonnera sa volonté. Si elle vous laisse en possession de la vôtre, vous serez tenu de venir me retrouver afin de me dire ce qui se sera passé entre elle et vous: conditions qui, suivant celles que nous avons faites avant notre combat, ne sortent point des limites de la chevalerie errante.»

«Je confesse», répondit le chevalier abattu, «que le soulier sale et déchiré de Mme Dulcinée du Toboso vaut mieux que la barbe mal peignée, quoique propre, de Cassildée. Je promets d'aller en sa présence et de revenir en la vôtre, pour vous rendre un compte fidèle et complet de ce que vous demandez.»

Tandis que le chevalier des Miroirs et son écuyer, confus et rompus, s'éloignaient de don Quichotte et de

Sancho, dans l'intention de chercher quelque village où l'on pût graisser et remettre les côtes au blessé, don Quichotte s'en allait, tout ravi, tout fier et tout glorieux d'avoir remporté la victoire sur un aussi vaillant chevalier qu'il s'imaginait être celui des Miroirs, duquel il espérait savoir bientôt, sur sa parole de chevalier, si l'enchantement de sa dame continuait encore, puisque force était que le vaincu, sous peine de ne pas être chevalier, revînt lui rendre compte de ce qui lui arriverait avec elle. Mais autre chose pensait don Quichotte, autre chose le chevalier des Miroirs, bien que, pour le moment, celui-ci n'eût, comme on l'a dit, d'autre pensée que de chercher où se faire couvrir d'emplâtres. Or l'histoire dit que lorsque le bachelier Samson Carrasco conseilla à don Quichotte de reprendre ses expéditions un moment abandonnées, ce fut après avoir tenu conseil avec le curé et le barbier sur le moyen qu'il fallait prendre pour obliger don Quichotte à rester dans sa maison tranquillement et patiemment, sans s'inquiéter davantage d'aller en quête de ses malencontreuses aventures. Le résultat de cette délibération fut, d'après le vote unanime, et sur la proposition particulière de Carrasco, qu'on laisserait partir don Quichotte, puisqu'il semblait impossible de le retenir; que Samson irait le rencontrer en chemin, comme chevalier errant, qu'il engagerait une bataille avec lui, les motifs de querelle ne manquant point; qu'il le vaincrait, ce qui paraissait chose facile, après être formellement convenu que le vaincu demeurerait à la merci du vainqueur; qu'enfin don Quichotte une fois vaincu, le bachelier chevalier lui ordonnerait de retourner dans son village et dans sa maison, avec défense d'en sortir avant deux années entières, ou jusqu'à ce qu'il lui commandât autre chose. Il était clair que don Quichotte vaincu remplirait religieusement cette condition, pour ne pas contrevenir aux lois de la chevalerie; alors il devenait possible que, pendant la durée de sa réclusion, il oubliât ses vaines pensées, ou qu'il laissât le temps de trouver quelque remède à sa folie.

Carrasco se chargea, donc, du rôle, et, pour lui servir d'écuyer, s'offrit Tomé Cécial, compère et voisin de Sancho Panza, homme jovial et d'esprit éveillé.

Chapitre 36

Qui traite de la dernière aventure de don Quichotte.

Don Quichotte se retrouva finalement à Barcelone après avoir combattu valeureusement un lion, être descendu dans la caverne de Montesinos, avoir pourfendu les marionnettes de maître Pierre, autrement dit, Ginès de Passamont, avoir séjourné quelques temps chez un duc et une duchesse. Entre-temps, Sancho fut même gouverneur de l'île Barataria.

Un matin que don Quichotte était sorti pour se promener sur la plage, armé de toutes pièces, car, jamais il n'était un instant sans armure, il vit venir à lui un chevalier également armé de pied en cap, qui portait peinte sur son écu une lune resplendissante. Celui-ci, s'approchant assez près pour être entendu, adressa la parole à don Quichotte, et lui dit d'une voix haute: «Insigne chevalier et jamais dignement loué don Quichotte de la Manche, je suis le chevalier de la Blanche-Lune, dont les prouesses inouïes t'auront sans doute rappelé le nom à la mémoire. Je viens me mesurer avec toi et faire l'épreuve de tes forces, avec l'intention de te faire reconnaître et confesser que ma dame, quelle qu'elle soit, est incomparablement plus belle que ta Dulcinée du Toboso. Si tu confesses d'emblée cette vérité, tu éviteras la mort, et moi la peine que je prendrais à te la donner. Si nous combattons, et si je suis vainqueur, je ne veux qu'une satisfaction : c'est que, déposant les armes, et t'abstenant de chercher les aventures, tu te retires dans ton village pour le temps d'une année, pendant laquelle tu vivras, sans mettre l'épée à la main, en paix et en repos, car ainsi l'exigent le soin de ta fortune et le salut de ton âme. Si je suis vaincu, ma tête restera à ta merci, mes armes et mon cheval seront tes dépouilles, et la renommée de mes exploits s'ajoutera à la renommée des tiens. Vois ce qui te convient le mieux, et réponds-moi sur-le-champ, car je n'ai que le jour d'aujourd'hui pour expédier cette affaire. »

Don Quichotte resta stupéfait, aussi bien de l'arrogance du chevalier de la Blanche-Lune que de la cause de son défi. Il lui répondit avec calme et d'un ton sévère : « Chevalier de la Blanche-Lune, dont les exploits ne sont point encore arrivés à ma connaissance, je vous ferai jurer que vous n'avez jamais vu l'illustre Dulcinée. Si vous l'eussiez vue, je sais que vous vous fussiez bien gardé de vous hasarder en cette entreprise ; car son aspect vous eût détrompé, et vous eût appris qu'il n'y a point et qu'il ne peut y avoir de beauté comparable à la sienne. Ainsi donc, j'accepte votre défi, avec les conditions que vous y avez mises, et je l'accepte sur-le-champ, pour ne point vous faire perdre le jour que vous avez fixé. Prenez donc du champ ce que vous en voudrez prendre, je ferai de même. » Don Quichotte, se recommandant de tout son cœur à Dieu et à sa Dulcinée, comme il avait coutume de le faire en commençant les batailles qui s'offraient à lui, reprit un peu de champ, parce qu'il vit que son adversaire faisait de même; puis, sans qu'aucune trompette ni autre instrument guerrier leur donnât le signal de l'attaque, ils tournèrent bride tous deux en même temps. Mais, comme le coursier du chevalier de la Blanche-Lune était le plus léger, il atteignit don Quichotte aux deux tiers de la carrière, et là il le heurta si violemment, sans le toucher avec sa lance, dont il sembla relever exprès la pointe, qu'il fit rouler sur le sable Rossinante et don Quichotte.

Il s'avança aussitôt sur le chevalier et, lui mettant le fer de sa lance à la visière, il lui dit: «Vous êtes vaincu, chevalier, et mort même, si vous ne confessez les conditions de notre combat.»

Don Quichotte, étourdi et brisé de sa chute, répondit, sans lever sa visière, d'une voix creuse et dolente qui semblait sortir du fond d'un tombeau: «Dulcinée du Toboso est la plus belle femme du monde, et moi le plus malheureux chevalier de la terre. Pousse, chevalier, pousse ta lance, et ôte-moi la vie, puisque tu m'a ôté l'honneur.»

«Oh! non, certes, je n'en ferai rien», s'écria le chevalier de la Blanche-Lune. «Vive, vive en sa plénitude la renommée de Mme Dulcinée du Toboso! Je ne veux qu'une chose, c'est que le grand don Quichotte se retire dans son village une année, ou le temps que je lui prescrirai, ainsi que nous en somme convenus avant d'en venir aux mains.»

Le chevalier de la Blanche-Lune tourna bride et prit le petit galop pour rentrer dans la ville.

Sancho, l'oreille basse et la larme à l'œil, ne savait ni que dire ni que faire. Il lui semblait que toute cette aventure était un songe, une affaire d'enchantement. Il voyait son seigneur vaincu, rendu à merci, obligé à ne point prendre les armes d'une année. Il apercevait en imagination la lumière de sa gloire obscurcie, et les espérances de ses nouvelles promesses évanouies, comme la fumée s'évanouit au vent. Il craignait enfin que Rossinante ne restât estropié pour le reste de ses jours, et son maître disloqué.

Le chevalier de la Blanche-Lune n'était autre que le bachelier Samson Carrasco.

Chapitre 37

Comment don Quichotte tomba malade, du testament qu'il fit,
et de sa mort.

Fidèle à sa parole, don Quichotte rentra dans son village. Comme les choses humaines ne sont point éternelles, qu'elles vont toujours en déclinant de leur origine à leur fin dernière, spécialement les vies des hommes, et comme don Quichotte n'avait reçu du ciel aucun privilège pour arrêter le cours de la sienne, sa fin et son trépas arrivèrent quand il y pensait le moins. Soit par la mélancolie que lui causait le sentiment de sa défaite, soit par la disposition du ciel qui en ordonnait ainsi, il fut pris d'une fièvre obstinée, qui le retint au lit six jours entiers, pendant lesquels il fut visité mainte et mainte fois par le curé, le bachelier, le barbier, ses amis, ayant toujours à son chevet Sancho Panza, son fidèle écuyer.

Ses amis appelèrent le médecin, qui lui tâta le pouls, n'en fut pas fort satisfait, et dit: «De toute façon, il faut penser au salut de l'âme, car celui du corps est en danger.» Don Quichotte entendit cet arrêt d'un esprit calme et résigné. Mais il n'en fut pas de même de sa gouvernante, de sa nièce et de son écuyer, lesquels se prirent à pleurer amèrement, comme s'ils eussent déjà son cadavre devant les yeux. L'avis du médecin fut que des sujets de tristesse et d'affliction cachés le conduisaient au trépas. Don Quichotte demanda qu'on le laissât seul, voulant dormir un peu. Tout le monde s'éloigna, et il dormit, comme on dit, tout d'une haleine, plus de six heures durant, tellement que la nièce et la gouvernante crurent qu'il passerait dans ce sommeil.

Il s'éveilla au bout de ce temps et, poussant un grand cri, il s'écria : « Félicitez-moi de ce que je ne suis plus don Quichotte de la Manche, mais Alonzo Quijano, que des mœurs simples et régulières ont fait surnommer le bon.

Je suis à présent ennemi d'Amadis de Gaule et de la multitude infinie des gens de son lignage; j'ai pris en haine toutes les histoires profanes de la chevalerie errante; je reconnais ma sottise, et le péril où ma jeté leur lecture; enfin, par la miséricorde de Dieu, achetant l'expérience à mes dépens, je les déteste et les abhorre. Je sens bien, que je vais à grands pas vers mon heure dernière. Il n'est plus temps de rire. Qu'on m'amène un prêtre pour me confesser, et un notaire pour recevoir mon testament.»

Le curé fit retirer tout le monde, et resta seul avec don Quichotte, qu'il confessa. En même temps, le bachelier alla chercher le notaire et le ramena bientôt, ainsi que Sancho Panza. Ce pauvre Sancho, qui savait déjà par le bachelier en quelle triste situation était son seigneur, trouvant la gouvernante et la nièce tout éplorées, commença à pousser des sanglots et à verser des larmes.

La confession terminée, le curé sortit en disant: «Véritablement, Alonzo Quijano le bon est guéri de sa folie; nous pouvons entrer pour qu'il fasse son testament.»

Ces nouvelles donnèrent une terrible atteinte aux yeux gros de larmes de la gouvernante, de la nièce et du bon écuyer Sancho Panza; tellement qu'elles leur firent jaillir les pleurs des paupières, et mille profonds soupirs de la poitrine; car véritablement, comme on l'a dit quelquefois, tant que don Quichotte fut Alonzo Quijano le bon, tout court, et tant qu'il fut don Quichotte de la Manche, il eut toujours l'humeur douce et le commerce agréable, de façon qu'il n'était pas seulement chéri des gens de sa maison, mais de tous ceux qui le connaissaient.

Don Quichotte n'oublia personne, signa et cacheta le testament; puis, atteint d'une défaillance, il s'étendit tout de son long dans le lit. Les assistants, effrayés, se hâtèrent de lui porter secours, et, pendant les trois jours qu'il vécut après avoir fait son testament, il s'évanouissait à toute heure.

Enfin, la dernière heure de don Quichotte arriva, après qu'il eut reçu tous les sacrements, et maintes fois exécré, par d'énergiques propos, les livres de chevalerie.

Telle fut la fin de *l'Ingénieux hidalgo de la Manche*. Voici qu'elle fut l'épitaphe que mit Samson Carrasco sur le tombeau de don Quichotte:

Ci-gît l'hidalgo redoutable qui poussa si loin la vaillance qu'on remarqua que la mort ne put triompher de sa vie par son trépas.

Il brava l'univers entier, fut l'épouvantail et le croquemitaine du monde; en telle conjoncture que ce qui assura sa félicité, ce fut de mourir sage et d'avoir vécu fou.

Glossaire

Alcazar, palais des rois maures à Tolède, Ségovie et Séville.

Almodovar des Campo, ville de la Manche, dans la province de Ciudad Real (Nouvelle-Castille).

Amadis de Gaule, héros du roman de chevalerie espagnol portant le même nom, surnommé *Beau-Ténébreux*. Il est resté le type des amants constants et respectueux, aussi bien que de la chevalerie errante.

Aragon, région du Nord-Est de l'Espagne, située entre le Pays Basque et la Catalogne.

Armet, petit casque fermé en usage aux XIVᵉ, XVᵉ et XVIᵉ s.

Arquebuse, première arme à feu portative, utilisée en France de la fin du XVᵉ s. au début du XVIIᵉ.

Autoda-fé ou Autodafé, (n. m. portug. auto-da-fé, acte de foi), toute action qui a pour objet de détruire par le feu.

Babiéca, nom du cheval du Cid.

Bachelier, celui qui, dans la faculté de droit canon, soutenait une thèse, après trois années d'études.

Bassin, récipient portatif creux, de forme généralement ronde ou ovale. Bacin désigne à la fois un plat à barbe et un pot de chambre.

Baudoin, personnage du romance figurant dans le *cancionero* imprimé à Anvers, en 1555.

Bidet, petit cheval de selle.

Biscaye, l'une des provinces basques de l'Espagne (capitale Bilbao).

Biscayen ou Biscaïen, habitant de la Biscaye. Au temps de Cervantès, le nom particulier de Biscayen désignait les Basques en général.

Bissac, sorte de besace.

Briarée, personnage mythologique, géant qui avait cinquante têtes et cent bras, fils du Ciel et de la Terre.

Bucéphale, nom du cheval d'Alexandre.

Cabinet, petite pièce, située à l'écart. Autrefois, lieu réservé au travail intellectuel.

Cabra (la caverne de), située au sommet d'une montagne, se trouve dans la province de Cordoue (Andalousie).

Capuce, capuchon pointu de certains moines.

Carcan, collier de fer, qui servait autrefois à attacher un criminel au poteau.

Castillan, habitant de la Castille.

Charlot, personnage du romance figurant dans le *cancionero* imprimé à Anvers, en 1555.

Chevalier, membre d'un ordre de chevalerie. Il chevalier errant, chevalier qui allait par le monde pour redresser les torts, combattre dans les tournois. Il le caballéro était autrefois le premier grade de la noblesse en Espagne. L'équivalent français est gentilhomme, noble, écuyer.

Courtier, personne qui s'entremet pour des opérations commerciales ou autres.

Don, titre d'honneur particulier aux nobles d'Espagne et qui se place ordinairement devant le prénom.

Ducat, ancienne monnaie, généralement en or, de valeur différente suivant les pays.

Écu, bouclier oblong, quadrangulaire ou triangulaire des hommes d'armes au Moyen Age.

Écuyer, gentilhomme au service d'un chevalier.

Enchanteur, personne qui pratique des enchantements, magicien : l'enchanteur *Merlin*.

Forçat, autrefois, homme condamné aux galères ou aux travaux forcés.

Froc, partie de l'habit des moines qui couvre la tête, les épaules et la poitrine, et par ext. habit monacal tout entier.

Giralda (la), tour carrée de Séville considérée comme un des chefs-d'œuvre de l'art hispano-mauresque.

Grimoire, livre des magiciens et des sorciers.

Grison, âne, baudet.

Guisando (les taureaux de), ce sont quatre blocs de granit grossièrement travaillés qui se trouvent dans la province d'Avila (Vieille-Castille).

Haquenée, autrefois, monture de dame.

Hidalgo, étymologie : hijo de alzo : fils de quelque chose, noble espagnol figurant au plus bas degré de la noblesse, gentilhomme.

Indes (occidentales, les), nom donné à l'Amérique par Christophe Colomb, qui croyait avoir atteint l'Asie.

Larron, voleur.

Léonères (les), habitants de la région du Léon.

Mambrin, roi maure que son casque enchanté rendait invulnérable.

Manche (la), partie Sud-est de la Nouvelle-Castille.

Mantoue (le marquis de), personnage du romance figurant dans le *cancionero* imprimé à Anvers, en 1555.

Matois, qui a de la ruse sous des dehors de bonhomie.

Montesinos (la caverne de), grotte d'Espagne de la province d'Albacete (Levant).

Montiel (la plaine de), située dans la province de Ciudad Real (Nouvelle Castille).

Navarre (la), province d'Espagne du Nord, située entre le Pays basque et l'Aragon (capitale Pampelune).

Oraison, prière mentale sous forme de méditation.

Oriane, dame des pensée d'Amadis de Gaule.

Palme, mesure d'environ un travers, une paume de main.

Pilori, poteau où l'on attachait les condamnés que l'on exposait aux regards publics.

Port Lapice (le), situé non loin d'Argamasilla del Alba, patrie de don Quichotte.

Proxénète, personne qui fait le métier d'entremetteur.

Quichotte (don), Quixote signifie cuissard, armure de la cuisse. Cervantès a choisi pour le nom de son héros cette pièce de l'armure, parce que la terminaison ote, en castillan, s'applique d'ordinaire à des choses ridicules et méprisables.

Real, ancienne monnaie espagnole, valant un quart de peseta. Il Pl des réaux.

Romance, n. m. (mot esp.). Littér. esp. Poème en vers de huit syllabes, dont les vers pairs sont assonancés, et les impairs, libres.

Rondache, bouclier rond, en usage jusqu'à la fin du XVIe s.

Rossinante, rocinante, nom composé de rocin, bidet, haridelle, et de la préposition ante, avant. Cervantès a voulu faire un jeu de mots. Le cheval qui était rosse, ou roussin, auparavant (rocin-ante) est devenu la première rosse ou le premier roussin (ante-rocin).

Sainte-Hermandad, la Santa Hermandad ou Sainte Confrérie était une juridiction ayant ses tribunaux et sa maréchaussée, spécialement chargée de poursuivre et de châtier les malfaiteurs. La Sainte Hermandad vieja (vieille) exécutait à coups de flèches, et sur place les criminels qu'elle surprenait en flagrant délit.

Salade, partie de l'armure des cavaliers (XVe et XVIe s), casque profond et arrondi à visière couverte et à couvre-nuque.

Sierra Morena (la), chaîne montagneuse de l'Espagne qui constitue la limite entre le plateau de la Manche et la vallée du Guadalquivir.

Tartésiens (les), habitants de l'ancienne Tartesse (île de l'embouchure du Guadalquivir). Les Andalous.

Toboso (le), village de la Manche, patrie de Dulcinée.

Vandalie, Andalousie.

Viso (le), ville de la Manche, dans la province de Ciudad Real (Nouvelle Castille).

Vulgaire (le), le commun des hommes, la foule.

Miguel de Cervantes Saavedra (Alcalá de Henares, 1547 – Madrid, 1616).
Son père, chirurgien, élève sept enfants. Le jeune Miguel habite Valladolid
dès l'âge de cinq ans. A dix-sept ans, on le retrouve à Séville et à dix-neuf à
Madrid. A cette époque, selon les uns, Miguel est l'élève des Jésuites de
Séville; d'autres l'ont imaginé fréquentant les cours de la fameuse université
de Salamanque. Certains assurent qu'il a été le disciple de Juan de Hoyos. En
1569, il se retrouve camérier du cardinal Acquaviva, à Rome. Puis il est
soldat et prend part à la fameuse bataille de Lépante contre le Turc, où il perd
l'usage de la main gauche, d'où son surnom de « manchot glorieux ». Par la
suite, sur la galère *Sol*, il est capturé, en compagnie de son frère Rodrigo, par
les Barbaresques, et emmené en captivité à Alger. Il y reste cinq ans et rentre
en Espagne. Il devient commissaire aux vivres, en 1587, et connaît la prison,
en 1592. Le roi lui offre, en 1594, une nouvelle charge: celle de collecteur
d'impôts pour le royaume de Grenade. Il retourne en prison, en 1597. En
1602, il est à nouveau appréhendé et est incarcéré un an à Séville.

En 1605, l'éditeur madrilène J. Cuestas publie la première partie de
L'ingénieux hidalgo don Quichotte de la Manche. En 1613, il donne les
Nouvelles exemplaires. En 1614 est publiée, sous le pseudonyme de
Fernandez de Avellaneda, le deuxième tome du *Don Quichotte*. Cervantes,
irrité et stimulé, se hâte de terminer la deuxième partie du sien qui paraît en
1615. Il meurt, à Madrid, l'année suivante.

Tony Johannot (Offenbach a. M., 1803 – Paris, 1852) est le plus jeune des
trois frères Johannot, tous peintres et dessinateurs.

Tony se fait un nom en illustrant quelques-uns des chefs-d'œuvres du
romantisme tels que *Werther* et *Faust* de Goethe, mais aussi *Paul et Virginie*,
Manon Lescaut et *Jérôme Paturot*. Les huit cents illustrations de *Don
Quichotte* sont considérées comme son chef-d'œuvre. Tony Johannot fut l'un
des premiers à « habiller » ses vignettes par du texte, procédé repris plus tard
par Gustave Doré, notamment pour les *Contes drolatiques* de Balzac.

Table des matières